Doric – Hale an Hairty

Deborah Leslie

Argo Publishing

To Eric,

Happy Reading!

Deborah Leslie

First published in 2011 by

Argo Publishing
29 Maryfield Crescent,
Inverurie,
Aberdeenshire AB51 4RB

www.deborahleslie.co.uk

ISBN: 978 0 9546153 4 5

Printed and bound in UK by
Antony Rowe Ltd.,
Chippenham, Wiltshire

Acknowledgements

With special thanks to the following:

- My daughter, Dawn, for proofreading assistance.

- Rob Ward for cover design.

- All valued friends and family for help and encouragement.

- My husband, Donald, for everything you do.

Contents

Writin Richt

"Is't a dialect or a language,
Or somethin in atween?
They shid standardize the Doric.
Aye, aat's fit shid bi deen.

Wi'd hae the spellins aa agreet,
Te recognise on sicht.
A guide fir screivers aawye –
Te mak sure wi aa write richt."

Ah hear the mannie's pynt o view:
Wi'd compose wi grace an ease,
Insteid o makkin up the wirds,
Jist ony wye wi please.

As he defends his argiement,
Ere's a pairt o me agrees.
Bit syne Ah shak ma heid an say,
"Na! Aat'll nivver be.

Ah jist dinna see't happenin;
Ye winna preen it doon –
Wirds differ roon the countryside,
An chynge fae toon te toon.

An fa's te say a spellin's wrang,
If it's heard a differint wye?
Div you propose a set o rules,
Far we maun aa comply?

Ah canna see foo it wid wirk,
Ye'll nivver hem it in.
Standardize the Doric, sir?
Ye'd as weel try an catch the win!"

The McGregors in Marmaris

"Turkey! Fitna hell wid Ah wint te ging ere fir?" Morrice McGregor gied a lang, draan-oot sigh as he dooned his fork an knife an lookit up it Joyce. "Surely ye hivna firgotten yon cairry-on last time wi gid abroad...ye said ye'd *nivver* dee't again."

"Aye, bit – "

"Aye, bit naethin." Morrice held up his hans. "Sinburn, praan pysonin, skitter like caffies' scoor an – "

"Aat wis aa a lang time ago," interruptit Joyce. "The twins are ower aul te come wi's noo – it'll bi jist you an me...a kinna second honeymeen. Wi nivver get ony time te wirsels fir yon twa...they're ayewis hingin aboot."

"Aye, ye're nae wrang ere. It *wid* bi fine te get awa fae the sex police fir a file." Morrice fun himsel stairtin te smile it the thocht. "Bit Ah dinna see foo wi canna hae a cairry-on in the caravan...jist you an me, like, aa fine an cooried up in the sleepin bug."

"Same aul, same aul..." muttert Joyce.

"Fit's aat s'post te mean?"

"Jist fit Ah said. Ye're *so* predictable – Ah think Ah'd dee o shock if ye ivver did onythin differint...onythin mildly sirprisin. Ye jist dinna hae't in ye. Ah jist wintit te dee somethin special – somethin romuntic." Joyce lookit determined. "An aat's exackly fit wi're gaun te dee."

Morrice kent it wis eeseless fechtin wi Joyce. He sighed, his hairt sinkin as she sut doon aside him wi her laptop an scrolled doon the page on the screen.

"Look it ess een, Morrice!"

Morrice's gaze sattled on the hotel. "*The Paradise Club*," he read oot lood. "*A fantastic location on the outskirts of Marmaris. An all-inclusive hotel with a wide range of activities and amenities. Treat yourself to a Turkish bath –* "

"Oh! Listen te ess," interruptit Joyce. "The review says: '*The Paradise Club is a little slice of heaven on earth*'."

"Mmm..."

"Wi can book the hale thing online." Joyce hid ariddy stairtit typin in their details. "It aa souns amazin."

"Souns bloody expensive an aa," grumphed Morrice, risin fae the table. "Na, it's nae a place aat's appealin te me it aa. It's a lang road fae Inverurie an Ah've nivver bin naewye like aat afore...Ah widna like it..."

*

Morrice held his breath as the plane dirdit ben the runwye it Dalaman Airport an a splatter o spontaneous applause broke oot.

"Ah've nivver unnersteed folk clappin...nor you jynin in," he said as they cam till a stanstill. "Ah've nivver seen ye clap the bus driver fin the 307 pulls inte the station it Aiberdeen."

"*Shaddup*," hissed Joyce, giein the mannie aside her an apologetic grin as they steed up an filed ben the aisle o the plane.

"Welcome te hell!" said Morrice, blinkin an shieldin his een wi his han as he steppit inte the shimmerin mid-day sin. "Look it aat heathaze. It's like a bloody furnace – ye can smell the bilin tar fae here."

"Stop yer girnin!" Joyce gied him a glower as they made their wye doon the metal steps an set aff in search o their cases.

*

Morrice didna stop girnin...an he wis aye at it fin their coach pullt up in front o the Paradise Club in Marmaris, wi a hiss an a splooter an a great clood o rik.

"Oh, Morrice." Joyce jiggilt his airm. "Wi're here – looks great, disn't it?"

Morrice dichtit the sweat fae's broo as he dunt, duntit their cases up the steps an jyned the queue it the reception desk.

Five meenits later, Joyce hid their room key in her han.

"Weel, weel, than," said Morrice, pittin his wallet awa, "aat's the first rip-aff o the holiday – peyin oot even mair siller fir a safe, a telly, a toaster an a kettle...aa stuff aat Ah hiv it hame ariddy."

"If you liking air-conditioning," said the mannie ahin the desk, "we charging forty Engleesh pounds."

"Forty poun!" Morrice lookit it Joyce an saa her face flush wi affront. "Na, ye're aricht – wi'll jist jack open a winda."

"*Welcome to Paradise Club, nice peoples*," said anither voice.

Morrice turnt te see a young loon leenin up against the side o a steen archwye an giein Joyce the lang-ee. He lookit like a male model: his briks war spray-pintit on an his fite sark wis unbuttoned te show aff raas o gold chines; his teeth war perfeck; an his een war as black as his greased-back hair.

"Tak nae notice," muttert Morrice, a great wave o irritation risin up inside him as the lad waved, grinned an winkit it Joyce.

"Ye canna nae tak folk on," said Joyce as the loon cam saunterin ower an stairtit newsin her up.

Morrice steekit his nieves, irritation turnin te annoyance, fin Joyce smiled, blushed an stairtit actin aa gleckit.

"I…Ramazan…from Jewellery Centre inside," said the loon, pyntin te far the archwye led throwe te the pool area. "You like jewellery, darleeng – I show you later."

"*I* Morrice fae Inverurie, an hersel here," said Morrice, powkin a black-affrontit Joyce in the shooder, "his got enuch jewellery te open her ain shop."

"Fir God's sake!" snappit Joyce, smilin apologetically it the Jeweller. "He's only bein freenly."

"Freenly, my erse! Come on, lut's get the hell oota here," growled Morrice, shovin by Joyce's admirer. "Fit a neck he's got – winkin an grinnin an caain you 'darlin'. Bloody chuncer!"

"*Follow me please, nice couple.*" A grinnin porter siddenly appeart, liftit baith their cases an gid hairin awa in front.

"Knees up, fattie!" Joyce turnt an grinned as Morrice peched his wye up five flichts o stairs. "Ah didna think it wid bi ess far up. Ah asked fir a ground-fleer room."

"Jesus! Ma verra draars are stickin te ma." Morrice wipit the sweat fae's broo, his chest heavin up an doon an his hairt haimmerin against his ribs. "It's nae a porter wi're needin – it's a bloody sherpa!"

"Thunks verra much." Joyce smiled it the porter as they steed ootside room 502.

"Cheers!" wheezed Morrice, takkin the cases fae the young Turkish laddie, fa wis hotterin aboot wi a hopefu look on his face. "Aat's fine, than – wi'll see ye."

"Ah think he wis wytin fir a tip," said Joyce, puttin Morrice in the airm as the loon disappeart.

"Ah'll gie him a tip aricht…Ah'll gie him the tip o my fit up his erse."

"Ere's nae need te bi like aat." Joyce shook her heid. "Fit an affront ye are. Aat wis oota order."

"Aye, Ah ken, Ah ken," admitted Morrice. "It's jist ess bloody heat…it maks ma aat ill-naiturt."

"Weel, nivver myn, eh? Wi're here noo," said Joyce, turnin the key an pushin the door open.

"*The Paradise Club*," snortit Morrice as he investigated. "It's rale poky in Paradise nooadays – an it's a gey smaa 'slice o hivven'." He stuck his heid inte the bedroom an tittit. "Tak a look in here, Joyce – oor lobby cupboord's bigger than ess."

"It's aa wi're needin, Morrice. It's jist somewye te sleep. Wi'll nivver bi here – wi'll be oot an aboot aa the time."

"Aye, bit ere's sma, an ere's 'cudna swing a cat'. Oh, my God!" said Morrice, haudin up his hans as he opened the bathroom door. "It's even waar in here – Ah'm gaun te bi sittin wi ma knees roon ma lugs."

"Aye…it's compact," agreet Joyce, keekin roon the lavvie door.

"Compact! Ye can sit on the pot an touch baith waas." Morrice sut doon te demonstrate. "It's as near the bedroom, Ah'm gaun te hae te ban ye fae usin ess lavvie fir ony serious business – it'd bi like deein't on the fit o the bed."

"Morrice! Cud ye bi ony mair orra…"

"An nae fartin, either." He grinned. "Ye'll set aff the fire-alarm."

"You're spylin ess fir me – like ye ayewis div."

"Ah'm jist sayin…it's nae fit Ah expeckit. The hale place is nae muckle bigger than the caravan. An look it aat settee." Morrice studied the rings an tidemarks on the apartment's shakkie-doon bed an winnert aboot fit an fa hid made them. "Ah mean, Ah'm nae fussy; Ah dinna mind a fyow stains – jist as lang as Ah'm the een aat's makkin them."

*

The neest mornin, a reed-faced Morrice wis doon it reception near beggin fir the air-conditionin.

"Forty poun, aye?" he said, dolin oot his haird-earned siller an deein his best te ignore the satisfeed 'kent ye'd bi back' smirk on the mannie's face.

"Aat's it comin on!" shoutit Joyce as Morrice cam puffin back inte the room an steed up aneth the air-con unit aat wis ariddy bummin awa.

"Oh, aat's brilliant!" He liftit his airms, sighin wi relief as the caal win stairtit te waaft oot, queelin his oxters.

"Ere's a slice o toast oot here fir ye!" Joyce roart fae the balcony.

Morrice steppit oot throwe the patio doors te see his brakfast tray sittin on a fite plastic table, an Joyce leenin ower the wrought-iron railins. "Fit're you lookin so happy aboot? Ye're grinnin like the claas o a nail haimmer," he said, stannin up aside her.

"Naethin…" Joyce jumpit an lookit kinna guilty.

"Oh, aye…Ah can see fit's ticklin ye." Morrice lookit doon an saa the Jeweller fae the nicht afore. He wis wavin up it Joyce an grinnin like an eediot.

"Dinna bi daft," giggilt Joyce, giein the lad a wee wave an a smile.

"Fa dis he think he his? Struttin aboot like a bloody turkey cock."

"He's jist bein sociable…tryin te mak us feel welcome."

"Less o the 'us' – Ah dinna think it's 'us' he's interestit in, div you?"

"You an aat jealousy…" Joyce rolled her een. "It'll lan ye in trouble some day. Come on! Lut's get doonstairs."

"Christ, it's bakin ariddy." Morrice felt a fresh surge o annoyance risin inside him as they wannert aroon an fun a couple o sun-loungers.

"Ken…it's great, in't it?" Joyce kickit aff her flip-flops an wiggilt her taes. "It's jist so fine te bi waarm."

Morrice sighed an flung his new yalla beach tool doon on his sun-bed, waatchin as the waiters dunced aroon and flirtit wi aa the weemin like it wis gaun oota fashion. His een sattled on Joyce's Jeweller: he wis leent up against the waa o his shop, showin aff his wares in a fite T-shirt and a pair o skinticht designer jeans wi a great ryver o a hole in baith knees.

"It aa looks super, disn't it?" said Joyce.

"Aye, Ah s'pose it'd bi aricht," Morrice lookit aroon the braa pool wi its cascadin watterfaalls an greenery, "if it wisna fir aa the greasy-heidit Romeos – they're like flees roon shite."

"Ye've a richt wye wi wirds," said Joyce sarcastically as she wiggilt her wye oota her frock te reveal a wee reed bikini aat hairdly happit onythin.

Morrice pullt aff his T-shirt, sighin as he lookit doon it the great lirk o fat hingin ower the tap o his dookers.

"Fit d'ye ye funcy gettin deen, than?" speert Joyce, stappin a leaflet fae the hotel's Health Suite inno his han. "Fit aboot a Turkish bath…?"

"Na…Ah widna like aat."

"Weel, ere's plinty ither stuff." Joyce studied the glossy leaflet. "Ere's a sauna, facials, manicures, pedicures, reflexology, an aa differint kinna massages – anti-stress, aromatherapy, een wi het steens, een wi – "

"Ah cudna think o onythin waar," interruptit Morrice, haudin up his hans. "Ah'm nae fir strangers paawin aa ower ma."

"Please yersel. Ah'm awa te hae a Turkish bath."

"Knock yersel oot!" Morrice raxed oot in the sin. "Ah'll jist lie here an hae forty winks."

*

Morrice wakened up in a puddle o sweat an squintit it his waatch: Joyce hid bin awa fir mair than an oor. He sut up an lookit aroon: the thick o the sunbathers war awa te the bar or sittin aneth the shade o a parasol; an the doorknob o the Jeweller's shop hid a '*Closed*' sign hingin on't. The grun wis reed het an his feet war on fire as he run te the pool, sighin wi relief as he slippit inte the caal watter.

Morrice haaled himsel oota the pool an lookit aroon. Ere wis still nae sign o Joyce – an uneasy feelin wis growin in his guts. "Fir God's sake!" he cursed as he tried te dry himsel wi the new beach tool. "Ess hisna bin waashed. It's jist skytin ower ma – fit a bloody waste o time!"

Morrice haived doon the tool in disgust an follaed the sign

aat said: '*Turkish Baths and Health Suite*'. "*Joyce...*" He perched his sunglaisses on his heid an peered doon the stair. "*Joyce...*" It wis as dark he cud hairdly see a fit in front o him – doon an doon he gid, his flip-flops slappin against the steen steps.

Morrice lookit aroon, his een stairtin te growe accustomed te the dark: the place wis deckit oot like Suntie's grotto wi fairy lichts hingin fae the waas. It wis rikky an his een wattert as he teen in a moofu o yon stinkin incense dirt aat Joyce insistit on burnin it hame. He stoppit in his tracks as the soun o Joyce's familiar keckle driftit up te meet him.

"*Joyce...*" Morrice made his wye by a reception desk an seatin area. "*Joyce...*" He creepit alang a corridor an saa the Jeweller leent up against the side o a door. He gied the lad a shove as he squeezed by him, blinkin as he steppit inte a brichtly-lit, marble-lined room.

"Hiya, Morrice!"

"Ah thocht ye'd gotten tint." Morrice lookit doon it Joyce: she wis lyin on a circular slab in the middle o the room; a big, fat mannie an fower ither weemin war lyin heid te tail an ere wis soapy suds aa ower the place.

"Ess is great – *so* relaxin," said Joyce as the muckle mannie it her side turnt ower, flappin ontull his front like a beached whale.

"Turn over...please, lady." Een o the sax bare-chestit young laddies smiled it Joyce.

Joyce grinned an turnt ontill her belly, gigglin as her back left the marble slab an made a funny fartin soun.

Morrice fun his bleed beginnin te bile as his een meeved te the Jeweller an syne te the handsome young Turk aat wis gettin te wirk on Joyce. *My Joyce*, he thocht, jealousy bubblin up inside him as he waatched him unhook her bikini tap an soap her up an doon...up an doon...an syne feenish aff bi skelpin her on the backside wi a weet cloot.

"Come!" The laddie grabbit Joyce's han an teen her throwe t'a room wi a lang bed.

"Fit's happenin noo?" hissed Morrice, trailin ahin them an keepin ae ee on Joyce an the tither on the Jeweller, fa wis makkin his wye back up the stair.

"It's pairt o the treatment package," said Joyce. "A full body massage wi essential iles."

Morrice fun his chest tichen as he steed fir the neest hauf-oor, waatchin as anither boy in fite shorts an a vest cam in an stairtit poorin waarm ile on Joyce an rubbin her up.

"It's much hot. Do you minding?" The masseur tirred his semmit an stairtit te pummel the chiks o Joyce's dock.

Morrice bit his boddom lip an thocht, *Of course, she disna mind, bit I sure as hell div.*

"Dinna stan ere an gaawk. Ye're gettin in the boy's road," muttert Joyce as the masseur leent ower her, his muscles ripplin and flexin as he wirkit up an doon the lenth o her near-nyaakit body."

"Oh, weel…ken fine fin Ah'm nae wintit. See ye up the stair, than." Morrice lookit doon it himsel and sighed: he felt like a richt erse – stannin ere wi's belly stickin oot an his chest plaistered wi ooies aff the new tool.

*

Morrice wis still fizzin as he sut on the edge o the pool, dibblin his feet in the watter.

"Ye micht try an haud yer belly in a bit," giggilt Joyce as she floatit aboot on a pink lilo.

"Get loast! Ah've bin haudin ma belly in as lang, Ah've a hump in my bloody back."

"Are ye nae comin in?"

"Na, ye're aricht. An you better waatch yersel. Ye ken ye're nae muckle eese in the watter – ye canna keep yer moo closed lang enuch."

"HEY!" Morrice drew up his feet as Joyce drookit him wi a great splash o caal watter.

"Aat's a nice freenly-lookin couple," said Joyce as they baith streekit oot in the sin again. "Wi shid ging ower an spik – bi fine te mak some pals."

"Pals!" gruntit Morrice, giein his paper a shak. "Fitna hell wid Ah wint pals fir. Ah come on holiday te get awa fae aa aat – fir a bitta bloody peace an quait."

*

The rest o the wik passed wi'oot ony major disagreemint or mishap. The only thing aat wis really gettin te Morrice wis the wye the Jeweller wis flirtin wi Joyce an tryin te persuade her aat she cudna live wi'oot a necklace aat wis hingin in his winda.

"He said it's a Turkish Eye." Joyce pyntit it the spairklin, blue and gold pendant. "Ye see them aawye oot here. They're a gweed luck charm – keeps evil awa."

"Weel, it's nae wirkin here, is't? An as fir 'luck'," Morrice noddit in the direction o the Jeweller, "him ere's fairly pushin his. Look it him struttin aroon, newsin aabody up jist so's he can mak a killin…an aa you weemen are as feel ye're faain fir't. Jist listen," he said, cockin his lug, "ye can hear the knicker elastic snappin fir miles aroon."

"He spiks really great English, disn't he?" said Joyce, nae takkin him on. "In fack, he spiks better English than you."

"Aye, fitivver."

"An aa the mannies are *so* gweed-lookin an charmin – Ah mebbe winna wint te come hame."

"Huh! Weemin get treatit a lot differint oot here, ye ken. Ye'd hae te dee fit ye're telt, an the men can hae twa, three wives."

"*Ooooo*, noo aat *is* interestin."

"Aye, an you better jist waatch yersel…or Ah'll swap ye fir a puckle camels."

"Oh, Ah firgot te tell ye – Ah'v bocht tickets fir the nicht's Turkish evenin," said Joyce, ignorin Morrice's sarky remarks. "It's gaun te bi aa Turkish maet an free local drinks."

"Aat's yon meze kirn an camel's pish, than." Morrice fun his hairt sinkin as he thocht aboot their impendin nicht oot. "Ah'm nae gaun!"

*

Morrice lookit aroon as they gid doon te the hotel's Turkish nicht: there wis three lang trestle tables, groanin wi maet, their fite tablecloots flappin in the win.

"*Oooo*! It looks rare, disn't it? " Joyce puttit Morrice.

"Gyad-sakes! Ere's bloody flees aawye." Morrice curled his tap lip. "They're fool divvels flees. They sit on aathin an spew and sh – "

"*Hello, darleeng.*"

Morrice wis interruptit as the Jeweller cam swaggerin ower, nae takkin him on an giein Joyce the lang-ee again.

"I shut shop early," he said. "Tonight I sit with you."

"Ah cud aet a scubby horse – an Ah probably wull," said Morrice, decidin te ignore the Jeweller an make the best o't. He heapit his plate wi onythin he cud recognise and sut hissel doon it een o the tables sayin, "Fit d'ye funcy te drink, than? It's 'Happy Oor' aa nicht the nicht." He peered it the lang list o drinks on offer. "Ah think Ah'll mebbe push the boat oot an hit the '*Two for one Cocktails*'."

"Noo, Morrice." Joyce lookit kinna panic-stricken. "Ye ken fine ye canna hunnle spirits. Ye ging fair hich – clean aff yer heid. An syne, if ye dinna konk oot, ye eyn up fechtin or greetin an makkin a feel o yersel."

"It's *my* holiday an aa, Joyce, an *I* wull drink fittiver *I* wint. Fa are you te tell me fit Ah can an canna dee?"

"Please yer bloody sel, than."

"Ah'll hae the Cherry Vodka Volcano," said Morrice, feelin a rush o rebellion risin inside him as the waiter teen their order.

Morrice wis on his fourth Vodka Volcanco fin the entertainment cam on: a flurry o furlin folk duncers aat war makkin him feel dizzy.

An syne the music chynged an a sexy belly duncer appeart, weavin in an oot the tables – aa hair an hips, wi a veil ower the boddom hauf o her face an a big, spairkly steen in her belly button. The barmen jyned in wi the pairty atmosphere, jumpin up onte the bar te dunce, shakkin their cocktail makkers, an luttin aff spairklers an mini fire rockets.

Morrice tried to focus on the glorious sicht afore him. Aabody wis clappin an stumpin their feet...an aat wis fin he stairtit te feel really funny.

"Come on, ye lichtwecht." Joyce pullt on Morrice's airm. "Ye're nae gaun te fooner, are ye?"

Morrice's heid wis reelin as he waatched the Jeweller kiss Joyce on the chik an syne spring up onna the bar. He grabbit een o the rockets an copied the bar staff – fire an a great shooer o sparks fleein oota his spaver.

Nae te bi ootdeen, Morrice jumpit up onna the bar aside him, teerin aff his sark an duncin like he wis dementit, airms furlin like a winmill. "You leave ma bloody wife aleen!" he roart, diggin his elba inte the Jeweller's ribs an near caain him aff the bar. "Or Ah'll gie ye yer heid in yer hans te play wi – ye'll need mair than a Turkish ee te save ye."

"Morrice! Enough!"

"S'naewye near enough," slurred Morrice, grinnin doon it Joyce. "Ah'm jist gettin goin here." He pit his hands ahin his heid an gyrated, thrustin his hips in time te the music.

He felt like the star o the show as the aadience roart an clappit, cheerin him on. An syne the belly duncer appeart an jyned the line-up, rinnin her hans aa ower his bare chest an belly an rubbin hersel up against him.

"Come on, hot stuff! Join in!" She handit Morrice his ain fire rocket.

Flames war roarin oota Morrice's spaver noo, an he wis haein a rare aul time tull he lookit doon an noticed the lassie's hans. *She's hans like spads*, he thocht, his een traivellin fae the muckle feet, aa the wye back up te the Adam's aipple. *"Ye're a mannie!* Ye're a bloody mannie!" he shoutit, shovin the belly duncer hard in the shooder. "Get aff ma! Get aff! Get aff! Gettafu – "

Morrice wis cut aff in mid-sintence as the belly duncer steekit a nieve, smackit him richt in the ee an syne follaed it up wi an uppercut te the chin.

"Arghhh!" Morrice hut his heid on a beam abeen the bar an syne fell backwyes onte the sticky, beer-stained fleer, groanin as skailed peanuts powkit inte's bare back.

"Morrice! Morrice! Are you aricht?"

"A…a…aye…" said Morrice, lookin up it aa the shelves o bottles, glaisses an bugs o tattie crisps an feelin het tears rinnin doon his face. *"Joycie…far am Ah?"* he grat, his een finally sattlin on the sicht o his missus an a mannie fae the hotel security, towerin abeen him.

"Ah'll gie ye a bloody Vodka Volcano!" roart Joyce. "An Ah shid stick aat rocket far the sin disna shine. Get yersel up aat stair, or Ah'll gie ye somethin te greet aboot."

The neest mornin, Morrice sut up wi a moo like a tray o cat litter, a stotter o a sair heid, an a swallt shiner he cud hairdly see oota. He lookit ower te Joyce's side o the bed te see only a dint on the pilla far her heid shid've bin. Sighin, he closed his een, pictirs o the Turkish nicht tummlin ower an ower inside his heid.

Morrice spint the rest o the day rinnin back an fore te the lavvie, nae kennin fit eyn te pynt first, an lookin doon it Joyce an the Jeweller lachin an jokin bi the pool.

"Oh! Ah feel affa aboot ess," he said, comin staggerin in fae the balcony in his draars fin he heard the scrape o Joyce's key in the lock. "Ah've wasted the himmest day o ma holidays, sittin nursin ess black ee an waatchin aat prick on the neest balcony practisin his golf swing."

"Huh! Jist think yersel lucky aat the hotel didna phone the bobbies – ye didna hauf show me up. An as fir last nicht – Ah didna think Ah'd ivver get ye beddit. Ah think ye'd better get yersel doon aat stair – you've got some apologisin te dee."

"Oh, Ah ken…Ah ken…An Ah'm really sorry, Joycie. Ah'd dee onythin te please ye…te mak it up te ye…onythin ye wint."

"Sirprise ma!" roart Joyce. "An aat'd bi a bloody first!"

*

Morrice tried te haud Joyce's han on the plane on the road hame, bit she wis haein neen o't. "Look, Ah'm sorry, Joycie," he said. "Neest time wi ging awa, Ah promise te bide aff the voddie an nae get so damnt jealous."

"Belt up! An if ye wint te see anither holiday, abroad or it hame, ye'll jist drap it."

"Ess is fir you," said Morrice, pittin his han inte's pooch an pullin oot a tube o Smarties. "A sweetie fir ma sweetie." He held his breath, seein the hauf-smile aat wis creepin ower Joyce's face an kennin she wis stairtin te saften.

"Oh, Morrice!" Joyce lut oot a gasp, clappin a han ower her moo, as she opened the tube an the necklace she'd been admirin aa wik fell oot. Her hans war shakkin as she lut the glitterin gold chine rin throwe her fingirs. "I canna believe ye've gid oot an bocht ess yersel…aff yer ain back…aat is a first, fir sure…ye must…ye must really luv ma."

"Ye ken Ah div," said Morrice, sirprisin himsel as a sidden swall o romance bubbled up inside him. "Wi mak a richt pair, divn't wi?" He grinned an pyntit it his shiner. "Look! Wi've maatchin Turkish een."

"Oh! Sae wi div!" Joyce lookit like she wis awa te greet. She leent ower an touched Morrice's ee as he faistened the chine aroon her neck. "Ah nivver expeckit onythin like ess...it's *so* romuntic. Ah didna think ye hid it in ye."

"Unexpeckit...romuntic...aat's the new me," said Morrice, the joy o discoverin aat he did 'hae it in him' efter aa spurrin him onte new hichts. "Wi dinna need the Paradise Club, Joyce — as lang as I hiv you, Ah'm in hivven ivvery day!"

Jist Jimmy

**Winner of the Buchan Heritage Festival 2008
Senior Doric Writing Category**

"You rin on aheid, Jimmy, an Ah'll bide here an coont," Ah say, liftin yer photie fae the muntlepiece, the memories takkin roon an roon inside ma heid – mind-pictirs o a bonny simmer's day so lang ago.

Ah'd grinned it the sicht o ye gaun hairin up the road: reed hair wavin wild in the win, freckled dial screwed up an tung steekit oot in concentration.

"You come ana!" ye'd shoutit, lookin ower ae shooder. "Come wi's, Alice."

"Na, na, Jimmy, ging yersel ess time. On ye go. Ah'll stairt coontin. *One...two...three...*" Ah ayewis did the same thing fin Ah wintit te amuse ye or git ye oota the road; or fin Ah wintit te gie ye the confidence te dee somethin on yer ain – face somethin ye war mebbe feart o, or thocht ye cudna dee.

"Foo lang did Ah tak?" ye speered as Ah eventually teen ye tee.

"Twinty seconds," Ah said wi a smile. "Aat's great, Jimmy. Ah'll tell Mam – ye rin like a hare!"

"Twinty seconds," ye repeatit, lookin disappyntit. "Ah'd like te dee't faister."

"Mebbe ye wull neest time," Ah said, lookin back doon the aul fairm track aat snakit its wye fae the main road te the hoose. Ah happit ma smile wi a han. Farivver wi gid wi ayewis played the same game – I'd coont an you'd rin on aheid. Bit, of coorse, Ah nivver really coontit. Ah jist steed an waatched, syne said fitivver Ah thocht wid please ye.

"Happy days, eh, Jimmy?" Ah say, the memory meltin awa like snaa in springtime as Ah trace yer familiar image wi a fingir. Nooadays, folk like you are caaed 'special needs', bit in the times we'd growne up in ye'd bin caaed *simple, saft, a bittie wintin*...an a lot waar forbye bi them aat didna ken ye. Bit te the faimly ye war jist Jimmy. An ye *war* special – mair than ye'll ivver ken.

The day ye war born the docter said ye widna see oot the aifterneen, bit he'd bin wrang – fir ye'd thrived an growne an, noo, here ye war it sixty. Ye'd the brain o a bairn in a man's heid; ere wisna a coorse been in yer body; yer een war full o kineness; an ye'd the kinna smile aat cud bring oot the sun on the darkest day. Ye war a gentle giant an aabody luved ye – bit naebody mair than me.

"Myn foo much ye enjoyt yer sixtieth?" Ah say oot lood, smilin it the memory o yer bairnlike delicht it the pairty hats, streamers, banners, balloons, an yer birthday cake, in the shape o a tractir, wi its sixty flickerin cunnles.

"Ah luv pressies," ye'd said, yer face lichtin up an yer een spairklin as ye unwrappit yer parcel an saa the gold waatch.

"A birthday waatch!" ye shoutit, haudin it up fir aabody te see.

"Aye, an it's watterproof." Ah jyned in wi yer inspection. "An it's a stop-waatch an aa. Ye can time yersel fin ye rin noo, Jimmy. Ah'll show ye foo te use't, so it winna maitter if Ah'm ere or no – ye can coont the seconds yersel."

Ye war richt trickit wi yer new timepiece, an ye didna even look disappyntit fin yer pals fae the Special Needs Centre gied ye anither een aat wis near identical. Ye wore een on ilky airm an proodly showed them aff te aabody ye met.

I wis fower year aul fin you cam on the scene. An Ah s'pose Ah shid've resentit ye, bit Ah nivver did. Ah teen ye aneth ma wing an mithert ye – keepit ye safe fae hairm. Ere wis mony a time ye annoyt ma, bit Ah nivver eence thocht it wid've bin a blessin if ye'd nivver bin born. Ah wis fair disgustit the first time Ah heard some'dy say aat. Foo cud it ivver hiv bin a blessin te dee wi'oot you, Jimmy? Ye showed us fit it wis te really enjoy life's simple pleasures; foo te lach tull the watter run doon yer chiks an yer sides war sair; foo te show affection wi'oot embarrassmint; an foo te jist accept aathin aat life threw yer wye wi'oot question.

An wi'd great times, you an me, Jimmy. Growin up in the Buchan countryside, wi'd aa the freedom in the warld, an oor fairmhoose aside Cruden Bay hid bin full o fun an lachter. The lan hid rolled oot aroon's fir as far as ye cud see: harsh, bare scenery bit wi a beauty in its bleakness. Wi'd played oot in aa withers an enjoyt ilky passin season; saa parks o dark grun chynge te sweyin gold; an endured lang, hard winters – snaaed in fir wiks – frozen te the marra bi aat caal North-east win.

"Simmer wis oor favourite time o year, though, Jimmy," Ah say, smilin doon it the photie on ma lap. "Fit fun wi hid."

It's funny foo fin ye look back, the wither wis ayewis fair an the sin wis ayewis oot – bleezin doon fae a cloodless cobalt sky. Efter aa wir jobs war deen, wi'd ging aff explorin – playin hide-an-sik in the widdie ahin the hoose; wydin waist-deep in barley parks. Wi'd a cairtie made fae pram wheels aat gid like the verra divvel, an a hoosie made oota an aul train cairrage wi pans an dishes an a rag-bug fir dressin-up. Imagination wis King an mony a dub-pie wis bakit in oor makkie-on oven.

An wi war luckier than maist – wi'd a bike the piece. Wi'd bike fir miles, an aul broon message bug wi a bottle o waarm milk an a jeely piece in't, swingin fae ma hunnlebars an duntin against the front wheel as Ah crunkit. An files, if wi war feelin adventurous, wi'd bike oot te the Bullers o' Buchan. Ye'd a book o seaburds an ye kent the richt names fir them aa: Puffins, Kittiwakes, Guillemots an Razorbills. Wi'd aet wir picnic an lie on wir bellies, savourin the sharp tang o the sea, an gazin up it the purple hedder an wild flooers aat coloured the cliff taps afore lookin doon inte the bubblin chasm aneth's – the black watters, thrashin an crashin in the dark depths o The Divvel's Caauldron.

Ye likit wir bike runs, Jimmy, bit ye warna keen on braes. Ye eesed te girn fin wi'd te ging uphill, so Ah'd stan it the fit o the brae an coont tull ye'd crunkit aa the wye te the tap. Pechin, ye'd stan an wyte fir ma, an syne wi'd freewheel doon the ither side – legs stickin oot in front, roarin oot o's; the smell o the countryside fullin wir lungs an the win blaain wir hair an reedenin wir chiks te rosy aipples.

Bit childhood disna laist firivver, an carefree days, fir me, war replaced wi wirk, mairrage an bairns. Ah'm a country quine an fairmin's nae a choice. It's in ma bleed – Ah'm as much a pairt o the lan as it is o me. So, fin Mither an Faither biggit a bungalow in Cruden Bay an retired, it wis jist teen fir grantit aat me an my Dod wid meeve inte the fairmhoose an cairry on the wirk o the place. An, of coorse, it hid bin expeckit aat lookin efter you wis pairt o the package – hidin ye awa in some Institution hid nivver bin an option. The fairm wis yer life an far ye belanged. Oor bairns grew up kennin ye an acceptin ye, Jimmy – luvin ye as weel as I did. Bit they've baith left hame noo; Mam an Dad's lang since departit ess earth an Dod's bin teen awa fae's afore his time.

So it's jist you an me noo, Jimmy – or raither it's jist me – left aleen te rattle aboot in ess muckle hoose aat wis ayewis meent fir a faimly. Ah think Ah'll sell up an meeve somewye mair munageable – somewye far Ah'll hae mair company. Ah dinna wint te bi on ma ain... "Div ye hear ma, Jimmy?"

The photie slips fae ma lap an lans wi a dull thud on the carpet as Ah turn roon te face the solid oak coffin aat's sittin it ma back. Ah rin a han ben the waarm grain o the polished wid an admire the bonny brass hunnles. Ere's flooers aawye an the smell o chrysanths hing hivvy in the air as a sidden shaft o sunshine splinters throwe the sma-paned parlour winda an chases awa the shaddas, lichtin up the reed an yalla wreath in the shape o a tractir.

"Div ye hear ma, Jimmy?" Ah say again, stannin up an gazin doon it ye wi a hivvy sigh. Ye've a kinna sirprised look on yer face – like death hid creepit up on ye fin ye war least expeckin't. An Ah s'pose in a wye it hid: you hid nae notion o yer ain mortality or o fit it meent te hae a hairt compleent. An, in a wye, Ah envied ye aat innocence – aat blessed ignorance.

'He looks richt weel – richt like himsel.' Aat's fit the veesitors hid said fin they cam in by te pye their respecks, makkin stiltit convirsation ower the clink an tingil o cups an sassers an silver speens.

"An fa else wid ye look like, eh, ma loon?" A sairness grips ma hairt an Ah swally the lump aat's risin in ma throat. "Ye're jist Jimmy – the best brither a quine cud ivver hiv wished fir."

You hid time fir me an I hid time fir you, an Ah'm gratefu fir ilky second ye spint on God's gweed earth; fir aa the times ye've made ma lach an greet wi joy an exasperation; an fir aathin wi've bin te een anither.

An there's naebody aat's gaun te miss ye like I wull...bit noo it's time te lut ye go...

Ah look it ye lyin ere: the licht's gone fae yer een firivver; yer lips are quait an yer hans lie still; an aneth the sleeves o yer fite satin shroud are baith yer birthday waatches.

"It's aricht, Jimmy. Dinna bi feart," Ah say, pushin the hair back fae yer broo an takkin baith yer caal hans in mine. An syne, Ah think ma hairt wull brak cause Ah canna come wi ye ess time, even if Ah wintit till – ye'll hiv te mak ess himmest journey on yer ain.

"You rin on aheid, Jimmy." Ah tear rins doon ma chik as Ah drap a kiss on yer sleepin face. "An Ah'll bide here an coont."

The Sunday Driver

I am a Sunday driver,
An Ah like te tak ma time.
The traffic queues ahin ma,
Bit Ah nivver see the line.

Ah dinna use ma mirrors –
Ah'm oblivious, ye see.
As far as Ah'm concerned,
Ere's naebody here bit me.

It disna maitter far Ah am,
On country roads or toon –
Ah'll daadle an Ah'll daachle,
An dee ma best te slow ye doon.

Ah tootle an Ah scutter,
Cause ere's naewye Ah've te be
Ah like te drive it thirty-five –
It's faist enuch fir me.

Ma wirkin days are ower,
An life is really great.
An Ah cudna gie a damn,
If ma drivin maks folk late.

Slowin doon the traffic,
His bin a lifelang hobby.
An if Ah hidna bin a fairmer,
Ah micht hiv bin a bobby.

Ah eesed te full the roads,
Wi tractirs an machinery,
Noo ilky day's a holiday –
Jist takkin in the scenery.

An fin Ah'm on the dueler,
Ah hog the faistest lane –
Eence ye're safely sattled in,
Meevin ower's jist a pain.

An aa you folk can shout an sweer,
An really go yer dingers;
Jist mak sure neest time ye wave,
Te please use aa yer fingirs.

Come Dine with Me

"*She disna like dugs*! Weel, she needna bother comin here, than." Sandy booed doon an pickit up Willie, the wire-haired Terrier. "Willie's gaun *naewye* an, if ye ask me, ere's somethin far wrang wi a bodie aat disna like beasties."

"Cud ye nae jist mak a bit effirt?" Vi sighed an clappit the dug's heid. "Wi've bin in Huntly near sax month an wi dinna really ken onybody…aat's foo Ah thocht it micht bi fine te get acquant wi some o the neebours. An Elspeth an Gerald seem like a nice enuch couple…myn wi'd a news wi them it the Kirk coffee mornin?"

"*I myn...*" said Sandy. "An if Ah'm bein honest, Ah thocht he wis a richt borin dreep, an yon skinnymalink o a missus o his disna hauf funcy hersel. Ye ken…Willie disna like the wifie aat aa – he gurs finivver she gings by the winda. Dugs are a gweed judge o character… *an sae am I*." He noddit afore addin, "Aye…Willie an me are rarely wrang."

"Huh! You need te try an keep an open myn aboot folk. Ah've loast coont o fa aa ye've offendit…ye've a short fuse."

"Fitivver! Ah jist hiv nae time fir them aat thinks they're abeen ither folk – canna bi deein wi't – maks ma bleed bile!"

"Elspeth even rins a book group, an aat's somethin Ah'd really like te get involved wi," said Vi, ignorin her man's ootburst. "Ah wint te expand ma mind…broaden ma horizons – get involved in the street's 'social set'."

"Weel, ging te her bloody book group, than – naebody's stoppin ye. Bit ye dinna hiv te ging awa an ask her an fitshisface roon here…an espeeshully nae fir a meal."

"*His name is Gerald* an Ah think he's an accoontant. An Ah canna ging te the book group cause Ah hivna bin invitit…*aricht?*"

"An accoontant, eh? Aat explains a lot. Och, Vi, jist firget aboot it – if ye ask me, ye've bin waatchin ower muckle o yon '*Come Dine with Me*' dirt on the telly – ken aat programme far folk tak it in turns te mak denner an syne aabody gies marks oota ten. They ging roon te een anither's hoose an raik in their cupboords...Ah hate aat – ill-fashioned buggers!"

"It'll bi naethin like aat, ava. Ah'm jist plannin a nice, quait meal – jist the fower o's."

"Aye, bit it winna eyn ere, wull't? They'll hiv te return the invitation an afore wi ken wirsels, wi'll bi up te wir oxters in a roon o nivver-eynin denner pairties."

"Ah ken!" Vi clappit her hans, finnin a thrill o excitemint rinnin throwe her. "It cud bi the stairt o a hale new social circle. Ah got spikkin te Elspeth ae day an she telt ma aat them an their pals often hae yon 'Safari Suppers'."

"Fitna hell's aat fin it's it hame?"

"Weel, it's fin ye go roon folk's hooses an hae a differint course in ilky een. Ken – ae hoose fir the canapés; anither fir the stairter; anither fir the main – "

"Aricht! Aricht! Ah think Ah get the picter," interruptit Sandy.

Elspeth says it's great – they really enjoy't."

"Aye, nae doot," said Sandy, shakkin his heid. "Ah'm tellin ye, Vi, it's jist an opportunity fir a lotta snobby divvels te show aff te een anither an hae a gweed powk aroon file they're at it – a chunce te see fit aa folk hae...or *dinna* hae."

"Bit it's nae gaun te bi aat kinna nicht. It'll jist bi Elspeth an Gerald."

"Ah still canna see the pynt," said Sandy. "Ah've nivver stoppit ye gaun oot nor haein pals – Ah dinna see foo ye've te involve me in't."

"It's sociable, Sandy. Gettin te ken folk – *netwirkin*."

"'Netwirkin'! *Jeeeez*..." Sandy lut oot a lang sigh. "Ah'm a jiner, Vi – a mannie wi a van – fit eese is 'netwirkin' till the likes o me?"

"Ye micht bi sirprised – you're a business man an aa, an it's aa aboot kennin an comin inte contact wi the richt kinna folk. An the gweed news is aat Elspeth an Gerald are comin ess wiken. Ye shid bi excitit. It'll bi fun – promise!"

"Oh, aye, Ah am," said a glowerin Sandy. "*Whoop-dee-bloody-doo!*"

*

"Oh! Willie!" Vi lookit doon it the little fite Terrier as he cam back in fae's waak up the wids: he wis absolutely yirdit an yoamin te high hivven. "Elspeth an Gerald'll bi here in a meenit. Get him throwe te the back bedroom an shut him in – he's absolutely rotten!"

"He winna like aat."

"Weel, he'll jist *hae* te like it. Gie him a pig's lug te chaa on – aat shid keep him quait. An myn fit Ah said aboot the nicht – *please...please...*dinna say onythin aat'll spyle ma chunces o gettin inte Elspeth's book club an gettin introduced till aa her freens. An dress yersel, wull ye...somethin smairt – wi wint te mak a gweed impression."

The doorbell rung. Vi checkit her hair in the lobby mirror an teen a deep breath.

"*Evenin...*" said Elspeth, handin ower a bottle o wine. "Thunks *so* much fir the invite – me an Gerald hiv bin lookin forrit till ess aa day."

"Come in, come in," said Vi, feelin her face flush wi pleasure as she ushered her guests inside.

Vi's gaze follaed her veesitors throwe inte the livin-room: Gerald wis dressed in his usual nondescript style an a stick-thin Elspeth wis dolled up te the nines – aa reed lipstick an nails an weerin a wee fur jaicket wi a maatchin furry hanbug.

"Fit like?"

Vi turnt it the soun o Sandy's voice, her face drappin fin she saa fit he wis weerin: he lookit like he'd gotten dressed in the dark. "If ye'd aa jist mak yersels it hame," she said, recoverin her composure. "Fit aboot a nice aperitif? Sherry aricht?"

"*Lovely!*" said Elspeth an Gerald it the same time.

Vi's han wis shakkin an she wis spullin aa ower the place as she fullt her best crystal glaisses. She dichtit up the sotter she'd made, gettin mair an mair nervous as she listened te Sandy deein his best it entertainin convirsation.

"Ah hope yer dug's nae here, is he?" speert Elspeth. "Ah'm nae keen on ony kinna beasties – espeeshully dugs. Ah've nivver hid a pet – cudna bi deein wi hair aa ower the seats an aathin."

"Fit's a bittie hair atween freens?" leuch Sandy. "Aat's foo it's caaed 'fur-ni-ture'."

Vi waatched her knuckles turn fite as she grippit the sherry bottle – *her veesitors hid jist gotten here an Sandy wis luttin her doon ariddy.*

The sherry sunk, aabody gid throwe te the dinin-room an Vi disappeart inte the kitchen.

"Here wi go, than – Huntly's unnser till '*Come Dine with Me*'," jokit Sandy as Vi served up the first course.

"Weel, Ah jist hope ye enjoy't," said Vi, feelin aa het an flustered as she jyned them roon the table.

"Ah'm sure wi wull," droned Gerald, tuckin his napkin inte's sark collar an lookin like he wid raither bi onywye else in the warld.

"Interestin choice…" Elspeth smirkit as she lookit doon it her stairter. "Ah hivna hid a Praan Cocktail fir a lang time…very 'retro'."

Elspeth hammert on aboot hersel aa the wye throwe the first course an naebody else even got a chunce te spik. She seemt te hae somethin te say aboot aabody, an Vi stairtit te winner if ere wis onybody she *did* like.

"Mmmm…somethin smells fine," said Sandy, jynin Vi in the kitchen. "Needin a han?"

"Ah think it's anither drink Ah'm needin," fuspered Vi. "They're rale hard-goin, eh?"

Sandy rolled his een in reply an helpit Vi wi the plates o Aiberdeen Angus steak an the stemmin dishes full o tatties, carrots, gairden piz, broccoli an her legendary caauliflooer cheese.

"Aat smells lovely!" Elspeth sniffit an lookit doon it her plate. "Ah dinna usually aet beef, bit Ah'll dee ma best."

"Aat's a gweed bit o locally-produced beef, Elspeth," said Sandy as aabody else tucked in. "If ye dinna like aat than ye're helluva ill te please. Wid ye like a drappie wine te waash it doon? Ah've reed or fite."

"If ye dinna myn," said Elspeth, "wi'll tak a suppie fae wir ain bottle. Ah'd luv ye te try't."

"It's fae the Dordogne region," said Gerald, finally stirrin himsel te spik. "Elspeth's brither bides in France – he's got his ain vineyard."

"Weel," leuch Sandy, uncorkin his veesitor's bottle an fullin their glaisses, "Ah'm nae sure fa trumpit the grapes or far oors cam fae – bit Ah ken Ah bocht it in the Oyne region."

"Cheers, than!" Vi gied Sandy een o her 'looks' as his joke fell flat an they suppit the wine in silence.

"Oh! Aat's me stuffed," said Elspeth, leavin three-quaarters o her steak. "A bittie weel done fir me, bit still fine, though."

"Hope ye've plinty o room left fir poodin," said Vi, risin fae the table. "It's my 'signature dish'."

"Aye," said Sandy, lookin annoyt, "ye're in fir a treat – my missus maks the best sherry trifle ye've ivver tastit."

Vi cam back wi the poodin an they aa got stuck in.

"Div ye nae like ma trifle, either?" Vi fun hersel stairtin te get rale roosed as she waatched Elspeth kirn wi her sweet.

"Oh, aye...aye, Ah div. Ah'm jist keepin an eye on ma wecht, eyvnoo." Elspeth pattit her non-existent hips. "Ah'm a licht aeter, onywye, Vi. Ah'll mebbe need te get ye te mak ma up a 'doggy-bug'.

Vi wis grippin onte the side o the sink as she wytit fir the coffee te brew an thinkin, *Elspeth's spint the hale evenin miscaain aa the neebours an blaain an girnin aboot aathin an aabody, wi Gerald jist noddin an agreein wi fitivver she said. My God,* she siddenly realised, *Gerald wis even mair annoyin than Sandy – mebbe haein an opeenion an a myn o yer ain wisna sic a bad thing efter aa.*

"Nae coffee fir me, Vi!" shoutit Elspeth. "Ah'm tryin te cut oot caffeine – Ah'll bi up aa nicht."

"*Ah'll bi up aa nicht,*" mockit Vi, bitin her boddom lip as her neebour's voice broke inte'r thochts.

"Ken fit I jist canna stan?" said Elspeth as Vi cam throwe wi the coffee an a tray o rattlin cups and speens.

"No," muttert Sandy, "bit Ah've a feelin ye're gaun te tell's."

"Folk aat caa their hooses efter theirsels." Elspeth yappit on undeterred. "Folk aat pit their names thegither...it's *so* funny...*sure wi canna stan aat, Gerald?*"

Vi lookit in amazemint it her neebour. She didna think Elspeth wis clivver nor interestin ony mair – she wis jist plain ignorant...a lip-glossed moo on a stick...a *know-it-all* in desperate need o a gweed denner an a clap in the lug.

"Ah canna say it really pits ma up nor doon." Gerald lookit kinna ackward as he offert his lukewaarm contribution te the convirsation.

Ah dinna think you've got an opeenion on onythin, thocht Vi, a fresh flush o affront waashin ower her as she pictired the bonny new name-plate aat Sandy hid jist putten up – the sign her veesitors war bound te hiv seen – the sign wi the name *Visand* emblazoned across it.

"Ilky een te their ain," said Vi, finally finnin her voice. She lookit across the table it Sandy: his face wis aa reed an a tell-tale twitch hid stairtit aneth his left ee – a sure sign his temper wis bubblin awa like a pan o bilin tatties aat wis jist aboot te loase its lid.

"Fit div you think, Sandy?" Elspeth persistit. "I think it's jist so *naff.*"

"*Oh! Ye think, div ye?*"

"Ye said ye rin a book group?" said Vi, anxious te chynge the subjeck afore Sandy cam till the eyn o his fuse.

"Oh, aye, Ah div. Wi meet on the first Widnesday o ilky month – efter wir Pilates class – jist a select gaitherin, like."

"Ah've aye funcied jynin a book group…"

"Weel, ye'd bi verra welcome, bit wi div usually like te vet ony new members…jist te mak sure they fit in. They're maistly aa professionals see…or wives o professionals."

"Fit's aat got te dee wi readin?" speert Vi. "I read aa kines o stuff – Ah've often twa, three books goin it the same time. Ah've jist feenished a thriller an a wee bookie o Doric short stories."

"Weel, Ah'm nae sure if *aat* wid bi somethin they'd be willin te pit on the readin list. Maist o them dinna even spik Doric."

"An them aat div, maist likely mak oot they dinna, eh Elspeth?" said Sandy.

Elspeth gied a wee, ticht smile an dabbit it the neuks o her moo wi her serviette afore sayin, "Cud Ah use yer bathroom, Vi?"

"It's doon the lobby an first on yer left…ye canna miss it."

An ackward silence descendit wi Elspeth's departure.

"So…ye're an accoontant?" Sandy sut back in his cheer an wytit fir Gerald's reply.

"*I am,*" said Gerald, lookin totally disinterested afore statin flatly, "You're a jiner."

"*I am.*" Sandy grinned, giein awa jist as little information. "So if I wis te look inte your heid, aa Ah'd see is numbers, than?"

"Somethin like aat." Gerald lookit ower the tap o his glaisses.

"Yersel?"

"Saadust…" jokit Sandy, tappin his broo, "…an smaa shavins."

Gerald alloot himsel a smile an wis saved fae ony mair interrogation fin Elspeth finally cam back into the dinin-room sayin, "Your hoose is much an such the same lay-oot as oors – jist an affa lot smaaer."

Vi shiftit in her seat as Sandy kickit her aneth the table an rolled his een as if te say, '*See! Fit did Ah tell ye – raikin.*'

"It's a fine wee hoosie ye've got here, though," Elspeth gid on te say. "We've hid nae option bit te extend fit wi aa the entertainin wi dee. In fack, if ye're interestit, wi're haein a special nicht neest Setterday – een o wir famous '*Safari Suppers*'. It micht gie ye a chunce te meet some o the folk fae the book group – aat's if ye're serious aboot wintin te jyne."

Vi grinned an sirprised hersel fin she heard her ain voice sayin, "*No thanks, Elspeth, me an Sandy hiv ither plans.*"

"Aye, aat's richt," said Sandy, lookin amazed it Vi's reaction. "Wi're oot aat nicht."

Elspeth micht rin the book group bit Sandy wis richt, thocht Vi, *she wis a stuck-up bitch, an Gerald, weel, he wis a dreep – a bore wi'oot a backbeen or a personality.*

The realisation wis still sinkin in wi Vi, fin the soun o Sandy's verbal explosion fullt the room:

"In fack, fin it comes te you, Elspeth, wi're busy *ilky* nicht. Ye're naethin bit a bloody snob – ye dinna like *onythin* or *onybody*…ye've lookit doon yer nose it the name o ma hoose, oor menu – "

"Ah nivver said onythin aboot the name o *your* hoose," interruptit a reed-faced Elspeth. "An Ah'm jist nae keen on beef…it wis efter yon Mad Cow disease."

"'*Mad Cow disease*' – Ah think it's the less serious strain aat you've got – '*Moanin Cow disease*'!"

"Oh, my God! Fit's ess?" Elspeth's face darkened as she ignored Sandy's insult an extractit a foreign body fae fit wis left o her poodin. "Gyad-sakes!" she said, haudin her find up fir inspection, her tap lip curlin in disgust. "It's a hair!"

Vi glowered it Sandy, hopin upon hope aat he widna say onythin te mak things ging fae bad te warse.

"Och! C'mon," he said, a broad grin spreadin ower his face. "It's hairdly the eyn o the warld, is't? Ye shid've hid een o yer '*Safari Suppers*' the nicht… a real safari, though – nae een o yer makkie-on kine – an me an Vi wid've got ten oota ten fir providin the maist fittin, authentic ingredient – *real* hair, fae a *real* live beast."

Vi wis jist aboot te apologise fir Sandy, an didna imagine things cud get ony waar, fin Elspeth screwed up her nose, threw her hans in the air and said, "Oh, my God! Fit…fit's aat terrible smell?"

"Oh, aat's jist my Willie," said Sandy.

"Yer *fit*?" spluttert Elspeth.

"Come oota aat, min!" Sandy lookit like he wis strugglin te keep in the lach as he liftit the neuk o the tablecloth an the shame-faced Terrier cam trottin oot, rikkin like a muck-midden. "Sorry aboot aat, Elspeth. Ye must hiv lutten him oot fin ye war *lookin fir the bathroom*."

Elspeth reedened an Vi felt her ain face flush as she lookit doon it Willie, hauf-expeckin te see a cloud o shite flees hoverin abeen him.

Elspeth skirled an knockit her poodin plate inno her lap. Willie, seein his chunce, steed up on his hine legs an lickit the plate clean.

"Oh! Oh! He…*he's lickin the plate*…" cried Elspeth.

"Weel, aat's *his* dish ye've got," jokit Sandy, lookin like he wis really enjoyin himsel noo. "It's as clean, wi cud jist pit it back in the cupboord."

The dish-waashin complete, Willie turnt his attentions te Elspeth's hairy hanbug an stairtit te hump it like it wis his last day on earth.

"An ere's yer doggie-bug!" said Sandy, tears o lachter rinnin doon his face. "Yon *'Come Dine with Me'* hisna a look in wi ess."

Vi stairtit te lach, tee, an syne even Gerald jyned in. Willie hid a glazed look in his een as he redoubled his efforts.

"No! No! No!" roart Elspeth. "The dirty divvel!"

"WILLIE!" Vi lookit on in dismay, ony hopes she micht've hid o jynin the street's 'social set', spirallin awa fae her like watter doon a plughole.

Elspeth stairtit greetin an struggilt te retrieve her hanbug. Willie, upset it the unwelcome interruption inte his amorous encounter, stairtit te gurr an yap his face aff.

"Ah'm sorry, Vi," said Gerald, takkin Elspeth's airm, "bit Ah think Ah'll hiv te tak ma missus hame – she's *so* upset…"

"Fitivver ye think," said Sandy, dishin oot his guests' jaickets an haudin the door open.

"Ah'm disappyntit ye canna bide…an wi're really *affa* sorry aboot Willie," addit Vi, tryin te keep a stracht face as her veesitors teen their leave.

"Y'aricht?" said Sandy, slippin an airm roon Vi's waist an haudin their four-leggit pal atween them. Willie gurred again it the sicht o the departin denner guests afore lookin up, waggin his tail an lickin it baith their faces.

"Och, aye…" Vi smiled an run a han ower their braa new hoose sign. "Freens like aat, Ah can dee wi'oot. Ah can aye stairt ma ain book club. An, onywye," she giggilt, "if ye ask me…ere's somethin far wrang wi a bodie aat disna like beasties."

Donald Gings te Disneyland

Winner of the Buchan Heritage Festival 2011
Senior Doric Writing Category

"Yer mither's *ayewis* hated ma!" Donald felt a twist o resentment grip his guts. "Ah've nivver bin religious an Ah nivver believed in Hell – weel, nae tull Ah met *your* mither…an atween the twa o ye, ye've munaged te convince ma itherwise."

"Aat's jist coorse," said Lorna. "*You're coorse.* Mam jist funcies a wee holiday – a lang wik-en wi us an the bairns. She's nae gettin ony youngir – surely ye widna deny her aat…"

"Jist waatch ma! Ere's nae wye she's comin awa wi's – it's bad enuch aat wi're gaun te bloody Euro Disney, wi'oot haein te pit up wi Mystic Meg an aa."

"The brochure caas it Disneyland Paris," correctit Lorna.

"Fitivver it's caaed, Ah jist wish te hell Ah wisna gaun."

"Mam says ye'd raither bi stannin somewye wi a fishin rod in yer han – up te yer erse in caal watter."

"Jeez! Mebbe aul Gertie's mair psychic than Ah thocht – *she's read ma mind!*"

"Donald!"

"Weel, yer mither's ayewis bin a bittie funny in the heid, bit she's definitely gettin waar." Donald sighed as he thocht aboot his mither-in-law, Gertie, an aa her weirdy-willie cairry-ons.

"Jist cause mam's interestit in different things fae you – aat disna mak her a weirdo."

"Aye, bit Tarot cairds an readin tay leaves. Come on, Lorna…it's nae richt…s'nae normal."

"'*Normal*' is jist a cycle on the waashin machine," said Lorna, giein a snooty look.

Donald shook his heid thinkin, *Lorna wis spootin mair guff fae een o her self-help, 'turn yer life aroon' books.*

"Ah've ariddy enquirt, an the bookin office said aat wir log cabin can easy haud some'dy else. Mam hisna hid a holiday fir years," said Lorna. "She's naebody te ging wi – it's a damnt shame...a shame fin ye growe auler an naebody can be bothered wi ye."

"Ah can see she's bin wirkin on you ariddy, than."

"Fit d'ye mean bi aat?"

"Oh, c'mon..." Donald rolled his een. "Your mither's a travel agent fir guilt trips."

"Ye're glaid enuch o her fin it suits ye. Like the day – it's your day aff, yet *she's* the een takkin the kids te the skweel an pickin them up again. She's a brilliant grunnie – Mikie an Sam jist adore her."

"She enjoys't fine an they're nae aul enuch te ken ony better," muttert Donald, his hairt sinkin as Gertie cam throwe the door, the bairns tummlin in ahin her in a flurry o skweel bugs an jaickets.

Donald grinned as his loons jyned him on the settee.

"*Donald Duck! Donald Duck!*" they baith shoutit it the same time, gigglin an rummlin aboot.

"You twa! Stop aat!" leuch Gertie. "They war deevin ma te tell them stories aboot you fin ye war little an foo ye've kent my Lorna since skweel. So Ah telt them aboot foo the ither bairns eesed te termint ye an caa ye '*Donald Duck*'."

"Cheers, Gertie!" Donald glowered it his mither-in-laaw. It'd bin years since he'd thocht aboot the nickname aat'd made his life a misery, follain him aa throwe the skweel.

"Ah didna mean ony hairm." Gertie smirkit it her granchildren. "It wis jist a bitta fun. C'mon an turn roon an gie's a look it yer deuk's tail."

"Shaddup! An dinna ony o ye even *think* aboot caain ma aat again. Ah certainly dinna unnser te aat noo an, if Ah hear it, Ah jist winna tak ye on. Ah'll jist pynt-blank ignore ye. Got it?"

"Ah think wi shid chynge the subjeck," said Lorna. "Lut's spik aboot ess holiday insteid."

Donald squirmed in his seat fin he saa the conspiratorial looks aat war bein exchanged atween his missus, his mither-in-laaw, an the bairns.

"*Wi wint Grunnie te come te Disneyland an aa!*" shoutit Sam an Mikie in unison. "It'll bi great!"

"It'll bi a fine break fir's aa," said Gertie, sounin hopefu. "An ma favourite granchildren'll jist love it."

Donald lookit it the bairns' faces, shinin wi anticipation, an kent he wis beat: fin it cam till his loons he jist cudna disappynt them.

"*Ooooo!*" cried Gertie, clappin her hans. "Div ye think wi'll bi gaun sweemin? Ah'll need te get masel a new costume."

"Foo?" said Donald. "Are ye throwe the knees o yer last een?"

Gertie gied a wee nippit smile, her pursed lips pittin Donald in myn o the cat's backside. He sighed an closed his een: the verra thocht o seein her in her dookers wis makkin him feel nae weel.

"Ere's nae even time te get te ma goal wecht," said Gertie, sookin in her belly.

"Ye maun bi near doon te yer target onywye, Mam." Lorna pattit her mither's han.

"She's a lang wye fae aat," said Donald.

"Oh! So fit div you think ma ideal wecht shid be?"

"Aboot twa-an-a-hauf pun," leuch Donald. "Aat's includin the urn."

"Ah hate te disappynt ye, bit Ah'm plannin on gettin beeriet."

"Weel, aat michtna bi sae easy as ye think. Ye're as twistit, Gertie – fin ye div eventually snuff it, wi'll hae te *screw* ye inte the grun."

"Ah'm sure ere's a pool it the camp-site, Mam, so ye'll definitely need a new costume," said Lorna, tryin te gloss ower her man's ootrageous ootburst. "An ye shid see the log cabins – they look great in the brochure."

"Aye, *great!*" echoed Donald, the thocht o bein holed up wi Gertie on the Davie Crockett Ranch, fullin him wi despair.

Gertie shot her sin-in-laaw a triumphant look as her granchildren disappeart up the stair, whoopin wi delicht it the gweed news. "Lut's hae a lookie it the horoscopes," she said, takkin a paper oota her shoppin bug.

"Oh, God! No!" Donald sighed. "Nae aat – onythin bit aat!"

"Weel, weel…jist listen till ess." Gertie gied the paper a shak an cairret on regardless. "*Taurus for the week ahead: A good week for making plans with family. Travel and financial matters are high on the agenda. Be extra vigilant and beware of accidental damage to either yourself or – "*

"Gertie! Stop!" Ah'm nae interestit in fit *The Sun* '*Horror*scopes' his te say aboot ma life 'in the week ahead' or ony damnt wik come te aat – Ah'll fin oot seen enuch."

"They're often richt, though. *The Sun*'s my favourite fir predictions an advice."

"So, ye tak yer advice fae ess comic," said Donald, tittin the offendin publication oota her han. "A paper wi heidlines like: '*LUSTY LINDA'S LOTTO LOVIN*' – fitna hell kinna title's aat?" He stared it the pictir o a blonde-heidit, money-grabbin, balloon-breestit flee-up aat'd named a great, lang list o lottery winners she'd teen up wi an syne fleeced fir thoosans.

"Fitivver!" snappit Gertie. "Dinna get yer y-fronts in a twist – jist thank yer lucky stars aat you're nae famous. Ye ken, Ah think ye're mebbe jist jealous aat ye'll nivver see *your* name in print...aat you'll nivver hae a heidline like aat written aboot you. Personally, Ah'd luv te bi pursued bi the paparrazi ...ye nivver ken, though, I cud bi in the papers yet...ere's aye time."

"Oh, nae need te winner aboot aat – ye'll *definitely* bi in the papers someday, Gertie – ye mebbe winna mak the tabloids bit ere's aye the *P&J...the obituaries.*"

Gertie ignored her sin-in-laaw, disappeart inte the kitchen an cam back wi the fly cup.

"Aw, Gertie, nae aat lowse tay again," said Donald, tittin, spittin, an pickin it his teeth.

"Dinna swalla aa the leaves, Donald...an leave a moofae o tay. Ah'm gaun te tell yer fortune. If ye winna tak advice fae ma favourite paper, ye'll mebbe tak it fae me."

Donald gied a great sigh o resignation as he waatched Gertie sweel the suppie tay roon three times afore turnin the china cup upside doon on a sasser. She teen a deep breath as she liftit the cup an studied her findins.

"*Ooooo!*" Gertie lut oot a lang fussle. "Jist fit Ah thocht wid happen – the tay leaves are agreein wi the Sun Astrologer. Oh me...Ah dinna like the look o ess."

"Fit?" Donald sut doon aside his mither-in-laaw an lookit doon it the shapes an swirls aat the tay leaves hid made.

"No, no, Ah'm nae tellin ye…it's nae fair on ye…ye'll jist wirry yersel."

"Ah winna wirry," insistit Donald. "Seein as Ah winna believe ye, onywye – it's a lotta mumbo-jumbo claptrap."

"Weel…if ye're sure." Gertie pyntit te a wee clump o tay leaves stickin haufwyes up the cup. "Ah'm seein bad luck here…an accident…some kinna misfortune."

"G'awa! An, onywye, Ah've hid nae luck since the day I met you, Gertie – it canna get ony waar."

"Ah widna say somethin like aat if I wis you. Nivver tempt fate – aat's jist askin fir trouble. Somethin bad's definitely gaun te happen till ye noo."

"Ye think?"

"I ken!"

*

Bi the time Donald hid endured the self-drive package they'd opted fir, he'd jist aboot hid aa he cud thole o Gertie: she'd yakkit in the car, she'd yakkit on the ferry, an he'd stairtit te fantasise aboot bypassin the urn athegither an giein her a beerial it sea.

Bit Donald's mither-in-laaw wisna sae easy gotten rid o as aat. He breathed a sigh o relief fin, despite her prediction o doom an gloom, they finally arrived safely it the hell aat wis Disneyland Paris: miles an miles o carnivals; brichtly-coloured, life-sized cartoon characters; 'hole-in-the-waas' spewin oot siller; restaurants an bars wi music blarin oota loodspikkers; an queues aat streetched an snakit fir as far as ye cud see.

"Look, Donald!" Lorna flappit a map o the Magic Kingdom aneth his nose. "Ere's *so* muckle te see." She turnt te read oot the list te Mikie an Sam. "Ere's Frontierland, Adventureland, Fantasyland an Discoverland."

"God Almichty!" Donald tittit the leaflet oota her han. "Ah'd nivver hiv believed there'd bi sic a choice – so mony differint places an wyes *nae* te enjoy yersel!"

Bi the eyn o the lang wik-en, aabody else wis haein a rare aul time bit Disneyland Paris wis aboot as far awa fae Donald's idea o a 'holiday' as ye cud possibly wun.

"Come on, Dad, ye hiv te try somethin else," said Mikie.

"Ye've only bin on the *Armageddon* an the wee baby stuff like the taycups."

"An aat wis bad enuch!" Donald frowned as he mynd aboot the *Armageddon* – a nichtmare o soun an fire an rik; an the *Mad Hatter's Tea Party* – a furlin taycup ride aat lookit hairmless enuch bit left ye feelin completely green.

"Dad, wull ye come onte *Big Thunder Mountain*? *Please!* *Please!*" pleaded Sam. "Mam's comin on…an even Grunnie."

"Weel, it's the himmest day." Gertie smiled it the loons. "An Ah widna like te disappynt ye."

Donald fun his hairt sinkin as he lookit it Mikie and Sam's expecktint faces an saa his mither-in-laaw's self-satisfeed smirk.

"*Please, Dad!*" cried the twins.

"Come on, than." Donald caved in an they aa teen aff in the direction o *Big Thunder Mountain* – the set wis aa kittit oot like the Wild West wi a roller coaster aat lookit like a train. He closed his een te the soun o aa the skirlin as the train rummilt roon a track an disappeart inte fit lookit like an aul mine.

"Ye excitit?" fuspered Gertie, sidlin up t'er sin-in-laaw as they jyned the queue.

"Oh, aye, jist aboot *by* masel, like." Donald steed wi's hans in his pooches, rattlin his Euros an grinnin like a feel.

"Ere's aye time te back oot…"

"An hae you lachin it ma an castin it up aa day…Ah dinna think so, eh?"

"Fit ye grinnin at?" speert Lorna, powkin Donald in the ribs.

"Ah aye grin fin Ah'm nervous."

"Weel, dinna ging on if ye're feart. Ere's naebody makkin ye…ye ken ye hate hichts."

"Aye, Ah div! Bit nae nearly as muckle as Ah hate your bloody mither."

"Gweed luck!" said Gertie as a raa o impty wagons appeart. "Jeez, Ah've jist mynd aboot ma prediction – hope ess isna fan yer luck finally rins oot. *Big Thunder Mountain*, eh? Bi the look on your dial aat's nae the only thunner wi'll bi hearin – Ah hope ye've brocht a chynge o draars."

Donald felt nae weel as the wagons slowed t'a stanstill an they aa got in ower. Mikie an Sam squeezed inno the first een, an syne Gertie sut in aside Lorna, leavin him wi nae option bit te sit himsel.

'Hope ess isna fan yer luck finally rins oot.' Donald's mither-in-laaw's wirds gid roon an roon inside his heid as the safety-belt cam doon an the train teen aff. He closed his een an held his breath as it gaithert speed, rocketin ben the track – roon an roon, loop the loop an upside doon. He cud feel his denner lappin the back o's teeth, hear Lorna an Gertie lachin, an the loons skirlin oota them as the ride gid on…an on…an on. An jist fin he thocht the hurl fae hell wid nivver stop…it did.

Donald felt like he was gaun te hae a hairt attack as the train hissed till a halt an they aa got aff.

"Oh me! The quines are oot!" Gertie stappit the overspill back in ower her bra an haaled up her briks. She adjustit her Disneyland basebaa cap afore grinnin it her sin-in-laaw an sayin, "Ye're aye wi's, than?"

"Aye," said Donald, lookin awa in disgust an tryin te haud himsel thegither, "an, unfortunately, sae are you!"

"Now, now – ere's nae need fir aat. Are ye sure ye're aricht? Ye're a maist helluva colour."

"Aye, Ah'm fine – nivver better. An it looks like ma luck's haudin oot, eh?" Donald's heid wis aye spinnin as he wannert awa in front, tryin te look casual. The place wis absolutely steerin wi folk an the air wis thick wi the smell o burgers, fried chucken, chips and candyfloss. He clappit a han ower his moo an cowkit.

"Get aff! Stop it! Mikie's hittin ma!"

"No Ah'm nae! It's Sam. He stairtit it – he's hittin me!"

"Fir the luv o God, wull you twa jist gie't a bloody rest!" Donald turnt it the soun o Mikie an Sam tinkin an fechtin ower a cricket set aat their grunnie hid bocht fae een o the shops.

"Loons wull bi loons," cried Gertie, comin waddlin ahin wi Lorna.

"Fitna hell did ye buy them aat fir?" Donald glowered it the twins' grunnie. "Fit's a cricket set got te dee wi Disneyland?"

"It's a *Toy Story* cricket set – ken fae the film," said Lorna. "An Ah've daurt them te open't. Onywye," she addit, "Mam promised them a toy on the himmest day o the holiday…an they *really* wintit it."

"They *wint* a lot, an yer mither's jist spylin them," said Donald as he saa the twins makkin fir a burger bar.

"Fit wid ye like, loons?" Gertie's purse left her bug fir the umpteenth time aat day.

"*Noo, ye're jist nae...*" warned Donald. "Surely ye myn aboot the spewin incident on the wye here? Aat wis aa your wyte – fillin them fair fu o tattie crisps an Irn Bru. Ah'm still tryin te get the stink oota the car seats."

"G'awa! Aat wis mair te dee wi your drivin."

"Wi'll jist waak on," said Donald, ignorin Gertie an lookin it the twins – aye bubblin an greetin it the burger van. "They'll seen catch up wi's fin they see wi're nae gaun te gie in."

"Ye're a miserable divvel!" Gertie pyntit an accusin fingir it her sin-in-laaw.

"Ye can caa ma fitivver the hell ye like, bit Ah'm nae backin doon. An Ah'm nae gaun te spik te *you* fir the rest o the day." Donald shoved a han inno her face. "An dinna you try te spik te me, either. Got it?"

As Donald waakit awa in front, music stairtit te blast oota aa the spikkers an a lood voice announced: '*It's an extra-special meet 'n' greet time!*' Cartoon characters fae ilky film he'd ivver seen war rinnin in an oot the crood, signin autographs an posin fir photies.

"DONALD DUCK!" shoutit Gertie.

Bitch! thocht Donald, determined nae te turn roon. *Jist cause the aul witch hisna gotten aa her ain road, she thinks she can wind me up wi aat. Weel, she's anither think comin.* "Jist keep waakin," he muttert t'imsel, starin stracht aheid. "Jist keep waakin."

An he didna turn roon – nae tull he heard Lorna skirlin.

"AAAARGH!" Donald roart oot as the bairn's cricket baa cam spinnin throwe the air an smackit him full in the face.

He keeled ower, faain flat on his back, winded, bleed poorin fae's nose.

"Ah telt ye te '*duck*' bit ye didna...looks like yer luck's jist run oot, eh?"

Donald lookit up te see the ootline o Gertie towerin abeen

him, hans on her hips, her ample frame blockin oot the sin as she addit,"Ye'll mebbe tak the stars an my predictions a bittie mair seriously fae noo on."

"Aye...aye...Ah wull," said Donald, feelin dazed an delirious as he heard his mither-in-law's camera, clickin awa, capturin the scene for posterity. "...Looks like ye war richt aa alang."

"Gweed job ye're nae famous an Ah'm nae the paparazzi, eh?" Gertie grinned. "Ah can see the heidline in *The Sun* noo: *DAFTIE DONALD DISNEY DUCK.*"

Nivver Ower Late

"Fit if it's aa ower late...fit if Ah'm nae fit Helen's lookin fir?" Ah say as Ah stan it the crossin on Union Street.

Ah look aroon, takkin in the sichts an souns o Aiberdeen: sinlicht bounces aff sparklin grey granite; feet clatter on pavements – high heels, trainers, hivvy beets an business men's shiny sheen; deevin music belts oot fae shop doors; an ootside Waterstone's bookshop ere's a laddie sittin beggin. His face is fite an pickit-lookin an Ah winner far his mither is...or if she even kens he's here. Ah wanner ower an drap a guilt-tinged fiver inte the paper cup an stare doon it its contents: a broon tidemark o yisterday's coffee; twa fag-eyns; three poun coins an a hanfu o coppers. He looks up wi a sirprised smile.

"That's a disgrace! An absolute disgrace!" A primped an polished wifie looks doon her nose as she sails on by, grippin onte her Marks and Spencer's bug like a badge o respectability.

Ah shudder it the wifie's sharp-edged wirds – a painfu echo fae the past. '*A disgrace ...aat's fit ye are...naethin bit a damnt affront.*' The memory o ma faither's fury fulls ma heid an Ah wint te rin efter her an say, "Bad things happen te the best o folk, an I shid ken: it's a meenit o madness; a faa fae grace...an sometimes...sometimes life jist disna turn oot the wye ye wint."

Ah cross the road and ging doon the steps inte Union Terrace gairdens. Ere's folk millin aboot bit Ah hairdly notice them – ma heid's ower full o Helen. She's drivin up fae Edinburgh an wi're meetin here it three o'clock. Ah push up ma sleeve an look it ma waatch – hauf-an-oor te wyte.

Ah sit doon an tak oot the photies Helen hid sent ma. Het tears full ma een as Ah look it the snaps. Ah canna see ony 'disgrace' nor 'affront' there; jist a bonnie lassie aat ony mither wid bi prood o; a lassie Ah'd nivver hid the chunce te ken...an waar still te think she wis the only bairn Ah'd ivver bin blessed wi. "Ye wis jist born it the wrang time," Ah say oot lood. "A time fin the fear o a merciless God an the opeenion o ithers maittert mair than onythin. If I'd bin young noo, faither or nae faither, naebody cud've teen ye awa." Ah sigh an leen back against the park bench, luttin ma myn drift back t'a sunny Deeside day in 1954, fin times war raither differint.

*

"Haein a bairn, Cathy?" John teen ma han an haaled ma aff the dirt track; brunches scrattin it wir faces as wi gid faarer an faarer inte the hairt o the widdie.

"Ye *canna* be," he said as wi finally fun oor secret spot – oor hidey-hole – hine fae the rest o the warld.

"...*I am*." Ah teen his han an laid it on the gentle curve o ma belly. "Ye winna leave ma, wull ye?" Ah said, hauf-feart te speer.

"Ah winna leave ye, darlin." John smiled, pittin his airms aroon ma an kissin awa ma doots.

"Promise?" Ah traced the ootline o's lips wi a fingir.

"Ah *promise*," he said, pickin a hanfu o clover an pullin ma doon te lie aside him on the mossy forest fleer.

"Ye ken a lot aboot the countryside, divn't ye, John?" Ah streetched oot on oor bed o hedder, girse an cracklin sticks, drinkin in the spicy scent o evergreens, feelin the sin waarm ma face an hearin the saft *ru-hooo, ru-hooo* o a cushie-doo. "Ye ken aa the beasties, trees an birds an flooers."

John noddit an held oot his han. "Look! Twa fower-leaved clovers...een fir baith o's. Ah've nivver seen twa it the same time. Mebbe it's a sign...aat aathin's gaun te bi aricht."

"Foo *can* it bi aricht?" Ah said, tears tichenin ma throat. "Dad'll loase the heid – he said Ah wisna alloot te see ye."

"It *wull* bi aricht, Cathy," he said, braidin his fingirs throwe mine. "Ah'll spik te yer faither. Wi'll get mairret richt awa... Ah'll tak ye on the road."

"He'll nivver lut aat happen, John." Ah waatched as a bummer hovered in the heat haze, buzzin ower buttercups and bluebells afore disappearin inte a patch o purple hedder. "He says ye're a tinker – aat ye dinna even hae a proper job – aat ye've naethin te offer ma."

"Aye, an he's richt – Ah dinna – nae in terms o siller, onywye." He unfaaled a fite hunkie an offert ma a tart-tastin rasp wi'd pued fae the roadside. "Wi micht nivver bi rich, Cathy, bit Ah'll ayewis look efter ye…Ah promise ye that."

An syne, wi the sin shinin throwe the brunches an happin us baith in waarmth an licht, he kissed ma – sweet an wild – takkin ma breath awa. An fir a stolen, golden oor, aneth an acre o blue, wi war millionaires.

*

A gaggle o geets rin by an chases awa the memory. Ah waatch them play fir a meenitie afore takkin a poetry book fae ma hanbug an rinnin ma fingirs ower the crackit reed leather. "Oh, John…" Ah say yer name like a charm, ma een fullin as Ah find the dried an fadit fower-leaved clover pressed atween its pages. "Ah've nivver firgotten ye, an Ah'v nivver luved onybody else the wye Ah luved you – nae even ma ain man." A tear rins doon ma face. "Charlie wis a gweed man – stiddy an dependable…bit he nivver teen ma breath awa."

Ah pit the book back, thinkin aboot foo Mam hid sut fite-faced bi the fire file Faither hid near killt John an chased him fae the place, the back door bangin like a broken promise.

Ah wytit fir months it oor place in the widdie…wytit an wytit…bit John nivver cam back. Simmer turnt te winter an the lang, dark nichts brocht ma baby. Ah caaed her Helen an she wis the bonniest thing Ah'd ivver seen – a bunnle o plump, pink perfection. Ah held her close, feelin the wecht o her wee body in ma airms; rubbin ma nose against her sweet-smellin heidie an cuppin the waarmth o her breath in ma han. An Ah grat an grat fin the nurse cam te tak her awa, leavin ma broken-hairtit, wi a great, gapin hole in ma chest aat Ah've nivver bin able te full.

Bit aa aat's aboot te chynge – efter aa the tortured years o wytin an winnerin, Ah'm finally gaun te see ma bairn again. An Ah'm prayin she'll firgive ma – aat she'll unnerstan ere wis naethin Ah cud dee…

Ah blink awa a tear an look up. Somewye in the distance a clock chimes three. The soun gars ma hairt haimmer against ma ribs an Ah canna believe it's time…

Ah can see the steps fae here – bit ere's nae sign o Helen. Ah stare it ma waatch, stairtin te feel mair an mair anxious as the meenits tick awa.

Mebbe she's chynged her myn – thocht better o't. Bit she'd lut ma ken, widn't she? Phone or text…or somethin. Ah tak oot ma mobile, haudin it like a han grenade.

An syne it's ringin…

"Hello…" Ah say, ma hairt in ma moo.

"It's me," says Helen.

An noo Ah can hairdly breathe.

"Look up…" she says.

An syne she's ere – it the tap o the steps – aa smiles an open airms, lookin aat like John, Ah think ma hairt'll burst.

"Mum!" she says…an the wird faas upon ma like a blessin.

An syne Ah'm droonin – droonin in her sweet firgiveness an the blessed relief o kennin aat it's *nivver* ower late an, fitivver wi're baith lookin fir, wi'll find it in each ither.

A Feel fir Luv

"'*Jist companionship*', my erse!" said Norman. "Ere's plinty leed in my pincil…it jist needs sharpenin."

"Sharpenin! Ah widna bi sirprised if it braks athegither." Arthur lookit his pal up an doon: he'd left his bonnet it hame an kaimed his hair ower his baldie patch; he'd swappit his gweed briks fir jeans; an he wis absolutely yoamin o after-shave.

"Look! Ah wisna gaun te tell ye yet, bit noo's as gweed a time as ony." Norman redd his throat. "Me an Michelle's plannin much mair than 'companionship' – wi're gettin mairret."

"Fit d'ye mean?"

"Fit d'ye mean, 'fit d'ye mean?' – Ah've asked her an she's said 'aye'."

"Gettin mairret again it *your* age! An t'a lassie near thirty year youngir than ye." Arthur shook his heid. "Are ye wise? God Almichty, min, ye're near echty. Gettin mairret," he repeatit, fair dumfoonert it his pal's unbelievable announcement. "Ye've mair need te lie doon ahin a dyke an dee."

"Thunks verra much! Is aat your wye o sayin, 'Congratulations'?"

"Aa Ah'm sayin…is te waatch fit ye're deein. Ye've a lotta health problems – fit wi yer dodgy ticker an yer diabetes." Arthur pit a han on Norman's airm. "The excitemint o a new relationship micht bi a dangerous thing…even life threatenin."

"*Weel…if she dees, she dees*," jokit Norman, giein an ill-trickit grin.

"Och, min, fit're ye like?" Arthur fun himsel smilin an aa. "Ah'm glaid ye've aye yer sinse o humour – ye're gaun te need it."

"Look, Ah appreciate yer concern, bit fit can Ah say? Me an Michelle…weel…wi're in love."

Arthur felt his moo faa open: he'd kent Norman aa his life, bit he'd nivver, ivver heard him admit te onythin as saft an sappy as aat.

"An fin ye're in love," addit Norman. "Weel, ye jist wint te mak aathin richt – an aat means gettin mairret. An as fir fit ye're hintin at – weel, Michelle's aul-fashioned aboot things like aat…she wints te wyte tull the honeymeen."

Aye, Ah'll bet she dis, thocht Arthur, afore sayin, "Norman, are ye sure ess is in yer best interests? An Ah dinna mean jist fidder ye're able fir the waddin nicht or no – Ah mean…financially. Ye're a wealthy man…a man wi sax butcher's shops. Ye'll mebbe need te think aboot a prenuptial agreemint."

"Aat's fit my solicitor advised. Ah dinna ken, though…it's nae affa romantic, is't?"

"Neether's loasin yer shops, yer hoose an aa yer siller."

Norman noddit, an Arthur teen ess as a sign he wis gettin throwe – a sign aat his pal wis switherin. Norman hid ayewis kent the richt side o a shillin an fin it cam te business maitters, he wis naebody's feel.

"Ah dinna wint te bi even thinkin like aat…bit mebbe ye're richt," said Norman efter a meenitie's conseederation. "Ah've te see the solicitor again in the aifterneen aboot een o the shops – Ah'll mak some enquiries."

"Ah think ye'd bi wise – ye dinna wint te get teen fir a mug."

"An as fir the 'ither thing' – Ah've te ging an see ma consultant ess foreneen onywye." Norman lookit a bittie bashfu. "He's a gweed pal o mine an he'll bi able te reassure ma aat aathin's as it shid be. Ah'm…Ah'm winnerin aboot askin him te write ma a prescription fir the magic blue peel."

"Viagra?"

"Aye…jist fir back up, like – like it or no, Ah'm nae as young as Ah eesed te be."

"Aye," agreet Arthur, "an if it disna wirk fir aat, ye cud ayewis pit it inno yer tay – it'll stop yer ginger snaps fae gaun saft."

*

"Fit's adee wi you?" speert Arthur, openin the door te see his pal stannin on the step. "Ye've a face as lang's a fiddle."

"Me an Michelle's feenished."

"Fit happened, min?" Arthur sighed wi a mixter o relief an concern. "Come awa in an tell's aa aboot it."

"Weel," said Norman, sittin hissel doon it the fireside. "Ah teen a lang, haird winner te masel aboot fit ye said ess mornin, an ye war richt – Ah *hiv* te proteck ma interests...an mak sure aat Michelle's really keen on me an nae jist ma siller."

"So ye telt her aboot the prenup idea?"

"Ah didna hae till. Ah decidit te try her oot – Ah telt her business wisna as gweed as it hid bin, an aat things micht be gey ticht fir a filie...an aat wi micht hae te doonsize t'a smaaer hoose."

"Aye...?"

"An aat's fan she stairtit hummin an heyin aboot the waddin date."

Arthur noddit an made aa the richt sympathetic souns.

"She wisna nearly sae keen on the idea. Ach...Ah s'pose Ah wis jist swept awa wi't aa – fair teen in, like."

"Dinna tak it te hairt." Arthur gied his pal a clappie on the shooder. "Ye're nae the first lad aat's bin a feel fir luv – an ye winna bi the last."

"*Ah'm jist a daft aul bugger.*" Norman sighed an munuged te muster a bit smile. "Still...Ah s'pose it's saved ma shellin oot te hae a prenup draan up – aat wid've cost ma a bonnie penny."

"Ah thocht ye'd bi mair upset. Ye're takkin it affa weel."

"Och, it's mebbe fir the best...fine enuch file it laistit."

"Aye, mebbe fir the best..." repeatit Arthur, "...aa things conseedert. Did ye still ging te see yer consultant pal? Myn, ye war gaun ere afore the solicitors. Ye said he'd bi able te reassure ye aat aathin's as it shid be."

"Ah did..." said Norman, hingin his heid. "An aat's jist fit happent. He said aathin's *exackly* as it shid be...fir a mannie aat's near echty."

"Did ye speer aboot the Viagra?"

"Ah did..."

An syne they baith burst oot lachin as a shame-faced Norman lookit up an said, "He telt ma it wid bi like pittin a new flagpole on a condemned buildin!"

Ronnie's Facebook Fiasco

The adventures o Ronnie Hinnersin continue as his desperate quest te find 'the one' goes on. The hapless Meldrum fairmer turns te modern technology fin his best pal, Stevie, his yet anither 'great idea'.

"Och, no, ess is nae fir me, Stevie, min." Ronnie fun his spirits sinkin as he sut doon in front o his brand new computer. "Ah dinna even ken foo te switch the thing on...an Ah dinna ken onythin aboot ess *Bookface* cairry-on."

"Bit *I* div, so nae need te wirry," assured Stevie. "An it's nae *'Bookface'* – it's *Facebook*. An I'm tellin ye, Ronnie, social networkin is the wye forrit fin it comes te castin yer line an hookin yersel a wumman." He grinned an addit, "Noo aat Ah'm mairret, Ah dee maist o ma datin on the Internet."

"Ah hope ye're jokin," said Ronnie, punchin his pal in the shooder. "Aat's jist greed!"

"Ah'm windin ye up! Ah'm jist anxious te see you as happy an sattled as me. They say ere's some'dy oot ere fir aabody – wi jist hiv te find her."

"Ah *hiv* bin lookin."

"Ah ken, Ah ken, bit ye're faist rinnin oota ideas, Ronnie. Ah've lost coont o the things ye've bin till – Salsa classes, line duncin, digital photography..."

"Mebbe somethin nae so direck wid bi better." Ronnie rubbit it the stibble on his chin. "If Ah cud jist get te ken some'dy afore wi cam face te face, fir real, like...jist tull things got goin."

"Weel, aat's foo Ah got ye the computer."

"As lang as it's nae like yon Match.com – yon's jist flee-paper fir weirdos."

"Foo wid you ken? Ye've nivver tried it."

"Aye, bit Ah ken a boy aat his, an it wis a complete disaster. Ye ken, Walter Wid, the postie? Weel, he met an oriental quine on aat same datin site an...weel...lut's jist say she wisna fit he wis expeckin. She wisna fully fit he'd thocht."

"Ye mean...she wis a bittie wintin?"

"Weel, nae exackly...if onythin, she'd a wee bittie mair...an uxexpeckit extra, like." Ronnie grinned. "Walter smelt a rat fin she kept leavin the lavvie seat up. Ye get ma drift...?"

"Ah dinna think onythin like aat's likely te happen – div you?"

"Ye nivver ken," said Ronnie, shruggin his shooders. "An ye ken me – fitivver can ging wrang, likely wull."

"C'mon, Ronnie! Get a grip o yersel. It's like ye're giein up – like ye dinna wint te find yersel a partner."

"Hiv ye ivver stoppit te think Ah micht actually *like* bein masel? An Ah dinna care fit ye say – bein in a relationship's nae aa gweed. Ere's an affa lotta adjustmints te mak fin ye actually bide wi some'dy – things te think aboot...te conseeder."

"Like fit?"

"Weel...weel...things like – foo far inte the relationship wid ye hiv te be afore ye cud chunce a fart?"

"Fir God's sake, Ronnie," said Stevie. "Is aat yer only reason fir shyin awa fae sharin her life wi the wumman o yer dreams?"

"Aat's jist *ae* thing. An Ah'm tellin ye, Stevie, ma boy, ere's a lotta plusses te bidin yersel – a lotta things I can dee, aat you canna."

"C'mon, than..." Stevie tappit his fit. "Ah'm wytin."

"Ah...Ah can step oota ma draars an leave them on the bedroom fleer, an bi sure they'll aye bi ere in the mornin fin Ah need them again."

Stevie shook his heid in exasperation.

"An...an Ah can please masel – it's total freedom. Ah can come an go as Ah please...tak ma supper fin Ah like...ging te ma bed fin Ah like...rise fin Ah like."

"Is aat it?"

"Weel..." Ronnie squirmed aneth his pal's scrutiny. "Ah'm nae gettin ony youngir...an it's bin a lang time since Ah hid a serious girlfriend...fit if Ah've firgotten fit te dee?"

"Nivver! It's like goin a bike."

"Aye, mebbe, bit fit if Ah get a flat, though? Ah winna get far wi nae win in ma tyres."

"Look! Jist caalm the heid," said Stevie, sounin frustrated. "Ye're gallopin awa hine in front...plinty o time te wirry aboot aat kinna stuff fin ye actually meet some'dy ye like."

"Mebbe ye're richt." Ronnie noddit. "Ah'm pittin the cairt afore the horse again."

"Right!" said Stevie, pullin up a cheer. "Lut's hae a lookie it ess accoont Ah've set up, an wi'll get goin wi fullin oot yer profile."

"Ma profile?" Ronnie waatched as Stevie typit awa an his new *Facebook* page cam up on the screen.

"Aye, it's jist information aat luts folk ken a bittie aboot ye. Ah've ariddy fullt in yer name, yer birthday, yer occupation, an yer hametoon, bit ye'll need a photie an aa."

"Na...jist leave the photie bittie blank. It'll bi a sirprise, like...Ah wint te bi mysterious an conceal ma gweed looks."

"Ah dinna think aat's a gweed idea – folk'll think ye're hidin somethin."

"Mmmm...wi'll pit in yon een o ma sittin in the tractor, than – ye canna see ma hair fir ma bunnet. Ye ken, it's nae aabody aat likes a ginger."

"Ye'll still bi hidin somethin, though..." jokit Stevie, ariddy lookin fir the photie on his new digital camera, "...giein a false impression."

"*An yer problem is...?*" Ronnie peered it the computer screen as Stevie uploaded the photie an it magically appeart.

"Ye can play aa kinna games on *Facebook* an aa, ye ken. Ere's the *Happy Aquarium* – ye can build yer ain fishtank an feed yer fish. An ere's *Farmville* – ye can wirk on yer virtual fairm an syne get ither folk te jyne in an help ye look efter yer livestock an growe yer craps – "

"Ah dinna funcy aat!" interruptit Ronnie. "Ah've enuch o a chaave keepin tee wi the wirk an feedin real beasts, wi'oot stairtin wi eens aat dinna even exist – it'd jist bi somethin else te wirry aboot."

"An ye can click on ess button here," said Stevie, shakkin his heid in despair as he cairret on wi the computer lesson. "It's caaed 'pokin' some'dy te get their attention. It luts them ken ye wint te get in touch – aat ye're interestit in a bit o interaction."

"Huh!" leuch Ronnie. "Last time Ah tried te dee aat, Ah got ma lug clappit an she threatened te get the bobbies involved."

"Forget aa that, than. Lut's jist concentrate on fullin in ess boxies wi yer details."

"Them aa?"

"Ye can dee as mony as ye like. Bit if ye div munage te get a lassie interestit in ye, ye'll wint te lut her ken as muckle aboot ye as ye can."

"Ah dinna ken if aat's the best idea – it's nivver deen ma ony favours afore. If onythin, it's mair likely te pit them aff."

"Aye, bit ye can use yer imagination – embellish the facks – pit a bittie o a shine on things, like."

"Ah get ye – lut's gie't a go, than," said Ronnie, concentratin on the job in han. "Fire awa! Lut the dug see the rubbit!"

"Right! Look it ess een – it's says, '*Favourite quotation*'."

"Em…em…" Ronnie traaled his memory. "Fit aboot, '*Life's a bitch an then ye dee*.'"

"Somethin a bittie mair positive micht bi an idea," said Stevie wi a sigh. "Say somethin aat'll attrack the ladies…somethin aat'll mak ye soun intriguin, fun, sexy, dangerous…myn, ye can lay it on a bittie."

"Fit…fit aboot ess, than…" Ronnie grinned. "My nickname's Fred Flintstone an Ah'll mak yer *Bedrock*."

"Aat's nae eese – nae if ye wint te find yersel a decent quine – the kinna quine fa'll say 'I do'."

"Mebbe Ah'm nae lookin fir a '*decent quine*'," said Ronnie. An Ah dinna ken aboot sayin 'I do' – Ah'd jist like te hear some'dy say, 'Ah mebbe wull' insteid o, 'No, Ah definitely winna.'"

"Ah think wi'll come back te aat bit," said Stevie, rollin his een. "Fit aboot ess? It says, '*Relationship Status*'."

"Aye, Ah can dee aat een." Ronnie leuch. "Jist pit in 'Singil by choice' – aye nae *my* choice, obveesly."

"An ess box doon here says, '*Looking for*' – ye can pit '*friendship*', '*networking*'… '*a relationship*'."

"Weel, Ah s'pose it'd be '*a relationship*'," said Ronnie, feelin nervous it the verra thocht o sic a thing. "Bit Ah dinna wint it te look like Ah'm eeseless wi weemin."

"Weel, lut's face it," said Stevie, "fin it comes te romunce, ye're aboot as muckle eese as a one-leggit mannie in an erse-kickin competition."

"*Next!*" said Ronnie, ignorin his pal an stairtin te feel impatient.

"Ess een says, '*Interests and activities*'."

Ronnie thocht fir a meenit. "Weel, ere's the bookies an haudin up Jock's bar in Meldrum."

"Wi'll jist leave't blank, than," said Stevie, "an wyte an see foo things progress."

"Bit foo div ye actually get pals on ess *Facebook* thing?" speert Ronnie, leenin in aboot te the screen. "Ah dinna ken ony quines...an Ah nivver really ging onywye."

"Bit aat's fit Ah've bin tryin te tell ye – if ye'd jist muck oot yer lugs an listen – *ye dinna hiv till.* Ye can get te ken folk wi'oot even leavin yer hoose."

"Aye...?"

"Ye ken Saft Sandy the scaffie? Weel, he's even on *Facebook* – he's nivver aff o't."

"Lut's type in his name, than – see if wi can find him."

"*Here wi go*," said Stevie as a new profile page appeart. "Here's the lad wi're lookin fir."

"Aw! Jeezo! Wid ye look it aat! Mak it bigger, Stevie." Ronnie leuch oot lood as he lookit it the photie o Saft Sandy. "Aat's Sandy aricht – bit aboot twinty year ago – he's hair...an even teeth."

"Aye, bit look – he's got twa hunner and fifty *Facebook* freens."

"He canna hae! He nivver gings onywye...an he bides wi's bloody mither."

"Sae did you – tull she deet."

"Ere's nae need fir aat!" Ronnie felt his chiks flush as reed as his hair. "Jist kick a boy fin he's doon, like."

"Aat's nae fit Ah wis tryin te dee," said Stevie, sounin a bittie mair sympathetic.

"Go on, than...lut's see foo it wirks."

"Righty-o!" Stevie pyntit it the screen. "Ess is fit happens: ye can ask folk te bi '*friends*' wi ye an syne ye can either send them a private message, write on their '*Wall*' or spik te them '*live*', in the wee chat boxie thing ower here."

"*Private messages, writin on waas* – Ah'm tellin ye, the hale cairry-on's jist a waste o time," snappit Ronnie, risin till his feet as a feelin o panic an hopelessness waashed ower him. "The folk I ken widna full a phonebox."

"Bit ye only need a fyow te stairt wi an syne ye can try lookin it their '*friends*' list an see if ere's onybody ere ye funcy spikkin till. Obveesly, aa ye'll hae te ging on it ess stage is looks. So…ye need te hae a think aboot the kinna quines ye like."

"Weel, ye *ken* fit Ah like." Ronnie felt a lecherous grin spreadin ower his face. "A lassie wi a good rack, a balcony…a double D delicht!"

"Aye…" Stevie noddit. "Ye've ayewis bin a 'chest man'. So, if ye ken fit ye're efter, g'awa an hae a lookie. Ye jist need te get the baa rollin an ye're away! Look it Saft Sandy…" Stevie pulled Ronnie back onte his cheer. "He's nae scuffie o freens."

"Aye, bit they're nae really freens it aa, *are they*?" said Ronnie, the feelin o despair comin ower him again. "They're strangers – a bunch o saddos like me, wi naethin better te dee on a Setterday nicht."

"*Ronnie, fit div Ah ayewis tell ye?*" said Stevie patiently. "Strangers are jist freens ye've yet te meet."

*

"Ye hivna bin on aat *Facebook* fir the last twa days, hiv ye?" jokit Stevie as he cam in by Ronnie's on his road hame fae wirk.

"Belt up!" Ronnie grinned an didna even look up as he sut, humpie-backit ower the the computer, typin awa like mad wi the ae finger.

"Ah tak it ye've fun some'dy te spik till, than?"

"Aye, Ah hiv. Ah saa her on Saft Sandy's list." Ronnie's hairt raced as he clickit on a pictir o a blondie-heidit lassie. "She's caaed Dolly…weel…aat's nae her real name, ye'll unnerstan – aat's her stage name."

"Stage name?"

"Aye, Chantelle's in a Dolly Parton tribute band." Ronnie's een widened as he clickit on the photie te mak it bigger. "Look it aat! Blonde hair, massive boobs…ma ideal wumman. She's perfeck…absolutely perfeck!"

"So…fit's happenin? Hiv ye actually bin spikkin till her?"

"Aye! Wi've bin messagin back an fore an wi've arranged a date fir the morn's nicht. Ah've telt her Ah'm weel inte Country an Western music an Ah look a bittie like Kenny Rogers – in the richt licht."

"Baith lees! Ye're naethin like Kenny Rogers and ye hate Country an Western music."

"Chantelle says they're nae jist songs – they tell a story."

"Aye…" Stevie leuch. "An ye ken fit wi ayewis say – it's aye the same story…aboot a deed dug or a broken hairt."

"Ah'm takkin her te yon '*Jackie Chan's*' fir her supper," said Ronnie, ignorin his pal's observation.

"It's '*Jimmy Chung's*'," correctit Stevie. "An myn an nae haud yer lugs amon the buffet. '*All you can eat*' is an offer, nae a challenge…"

"Ah've even hired een o yon pink limos te drive us aboot fir a couple o oors." Ronnie fun himsel grinnin it the verra thocht o't. "Wi're meetin up ootside the Monkey Hoose on Union Street, gettin pickit up wi the limo, gaun fir wir supper, an syne hittin the pubs and clubs."

"Souns like a fair nicht."

"It's gaun te cost ma an airm an a leg, bit Chantelle's eesed te the high-life an ess is ma chunce te impress. She said she likes te dress up like Dolly fin she's oot on the toon, so Ah thocht Ah'd mebbe ging fir the Country an Western look an aa. Ah'm plannin on weerin a denim sark an ma cowboy hat an beets…an mebbe yon aul leather jaicket wi the fringes on't. Fit d'ye think?"

"Ah think ye'll look like a reject fae a Spaghetti Western. Div ye nae think it's mebbe a bittie much?"

"Nuh! Ah'm jist wintin te please her, aat's aa. Like ye've said afore, 'Ye dinna get a second chunce te mak a first impression.'" Ronnie noddit, his myn made up. "Hiv ye ony ither advice ye cud gie ma?"

"Fit's the pynt, Ronnie? Ye nivver tak ony notice fitivver Ah say – ye jist dinna listen."

"Onybody wid think ye didna wint te see ma happy."

"*Aricht, aricht.*" Stevie caved in an gied his pal a smile. "Get her spikkin aboot hersel – aabody's favourite subjeck is aye theirsel. An look interestit...even if ye're nae. An firget aboot dishin oot compliments – ye're rubbish it aat...jist agree wi aathin she says an mebbe stick te tryin nae te oot-an-oot insult her...aat's somethin ye div seem te excel at."

"Ah'll try – Ah really wull."

"An dinna ogle her assets...weemin dinna like aat. An dinna mak ony really personal comments...onythin aat micht caause offence – if ye're disappyntit or somethin faas short o expecktations, fir God's sake, dinna say onythin. Ye've a bad habit o bein ower honest an ye've the kinna face aat jist gies ye awa – ye canna hide yer feelins."

Ronnie noddit an practised lookin expressionless.

"Ye see, wi weemin, it's aa aboot tellin them fit they wint te hear...things aat's gaun te mak them feel good aboot theirsels."

"Look...it's a lot te myn." Ronnie lookit hopefully it his pal. "An if ye're aat feart Ah'm gaun te balls aathin up again, foo div ye nae come wi's – you an Shirley – a kinna 'double date'.

*

"Ess is Chantelle...Chantelle...Stevie an Shirley," said Ronnie, gettin the introductions oota the road as they wytit ootside the Monkey Hoose. "Here it comes!" He pyntit an gied the driver the thooms up as a lang pink limo cam purrin in aboot an they aa got in ower.

Ronnie keepit on his cowboy hat an sut doon opposite Chantelle as the limo cruised aroon the toon an the big nicht oot got goin.

"Aabody's lookin," said Shirley. "Wi're fairly turnin heids."

"Ah'm eesed te bein in the public eye." Chantelle teen a wee mirror fae her hanbug an checkit her facefu o make-up.

Ronnie grinned, kennin aat bookin the limo hid really bin a gweed idea. He teen a deep breath te stiddy his nerves, his han shakkin as he poppit the cork on a bottle o champagne.

"Cheers!" cried aabody as Ronnie poored the fizz an the pairty stairtit. "Bottoms up!"

"Ah like yer ootfit." Chantelle leent ower an played wi the

fringes on Ronnie's leather jaicket. "Ye've fairly made an effirt, cowboy – Ah canna see aat ye're jist affa like Kenny Rogers, like." She giggilt. "Ess is mebbe nae 'in the richt licht', though, eh?"

"He mebbe meent 'in the dark'," jokit Stevie.

Ronnie fleched aboot in his seat, his face an lugs firin up fin he saa Stevie an Shirley smirk it een anither. They turnt an lookit oot the winda, their shooders shakkin wi the effirt o tryin nae te lach.

"Div ye like *my* ootfit?" Chantelle smiled seductively an adjustit her blue satin jumpsuit, the legs tuckit inno a pair o fite, diamond-studdit cowboy beets. "Folk say Ah'm as like Dolly they canna believe't – espeeshully roon the moo," she said, steekin oot her pink lips. "It's ma smile. Fit div you think?"

Ronnie opened his ain moo an tried te myn aboot some o Stevie's advice: *'…firget aboot dishin oot compliments…look interestit…jist agree wi aathin she says…get her spikkin aboot hersel…'* He felt his broos gaitherin an his smile slippin as the instructions teen roon an roon inside his brain. Ere wis ower muckle te think aboot – his heid wis mince.

"Y'aricht, Ronnie?" Chantelle teen a haud o his han. "Ye're affa anxious-lookin."

"Foo did ye get stairtit playin Dolly?" speert Shirley, jumpin in an savin him.

"Aye…" addit Stevie. "Foo did ye first get spottit?"

Ony feel can see aat, thocht Ronnie, tryin nae te glower it Chantelle's chest: her charms war fechtin fir freedom like twa cats in a bug an her buttons lookit like they war riddy te ping.

"Weel, Ah dinna like te blaa," said Chantelle. "Bit it wisna jist lookin like Dolly aat got ma noticed – Ah soun like her an aa. Ah've ayewis likit Dolly an Ah wis singin '*Jolene*' in a pub fin twa musicians speert if Ah'd like te jyne up wi them. Wi formed wir ain tribute band…an the rest, as they say, is history."

"Ah hivna heard ye singin yet, bit ye're fairly like her in looks," said Shirley.

"Ah dee ma best." Chantelle giggilt an wriggilt aboot in her seat, the champagne sloshin aroon in her glaiss. "Fit wi the hair an the make-up an maintainin ma oorglaiss figir – weel, bein

Dolly's a full-time job."

"Ah, weel, wi'll get a chunce te hear ye, tee," said Ronnie, finally munagin te get his act thegither an takkin a CD o Dolly Parton's Greatest Hits fae's inside pooch.

"Oh, Ronnie, ye've thocht o aathin," said Chantelle, sittin back in her seat, as the strains o '*I Will Always Love You*' fullt the limo.

"Ah aim te please," said Ronnie, stairtin te feel a wee bittie mair confident. "It's Stevie aat's the singer, like – I cudna cairry a tune in a pail."

"Come on, than, you can bi Kenny Rogers," giggilt Chantelle, usin a teem bottle fir a microphone, as her an Stevie launched intill an unplugged version o '*Islands in the Stream*'.

Ronnie hummed alang as he teen a sneaky swally fae a new bottle o champagne, fullt his glaiss, downed it, an syne sunk twa mair – een efter the tither.

"Come on, Ronnie," giggilt Shirley. "Jyne in."

"*Working nine to five,*" warbled Ronnie, the champagne hittin hame as the neest track stairtit, "*what a way to make a living…*"

"Fit a rare nicht wi're haein," said Chantelle as they aa sweyed back an fore in time te the music.

Ess nicht's goin great! thocht Ronnie, really enjoyin himsel noo, as the couples teen it in turn te stan up an steek their heads oot the sun-reef.

"*Whoohooo!*" cried Chantelle, lookin aroon an wavin. "*Wheyhey!*"

Jeez, Ah'm weel-on! Ah'd better pace masel, thocht Ronnie, feelin licht-heidit an far awa as he drappit back inte the limo. He sighed as he focused on the chiks o Chantelle's bum, jigglin awa, jist inches fae's face.

"Aat wis magic!" Chantelle ploppit inte her seat wi a wee skirl o excitemint.

"Aye, 'magic'," agreet Ronnie, sittin back an examinin his date it close quaarters: her crownin glory lookit sispiciously like a wig an hid meeved a bittie wi the win te show a strip o grey hair; she'd lipstick on her teeth; she wis yoamin o chaip perfume an, wi the sin comin in throwe the winda, she wis lookin less an less like her *Facebook* photie. *Aye*, he thocht, *ye're weel-preserved bit ye're a fair age – mebbe even as aul as Dolly hersel*. Bit he hid te admit Chantelle hid a crackin, curvy figir aat mair than made up fir ony craa's feet – she'd a lovely, plump behind an the biggest, maist impressive knockers he'd ivver clappit een on.

'*Dinna ogle her assets*.' Stevie's wirds jumpit te the front o Ronnie's brain. He rubbit it his een as the champagne began te really ging till his heid. *Oh, God*! *Ah'm bleezin*! he thocht, stairtin te loase the feelin in the eyn o his nose; his teeth war numb an his legs felt like rubber. Aathin seemt hine awa noo, an he wis grinnin like a feel as he listened te the quines yappin aboot claes an ither wifie stuff.

"Ronnie says ye've played aa ower the warld wi yer Dolly Parton tribute band," said Stevie, fullin up Chantelle's glaiss.

"Oh, aye…aa ower the place."

"So far wis yer last gig?"

"Em…" Chantelle shiftit in her seat. "Ah think it wis Brig o Don Legion. Wi eesed te bi quite high profile, though – back 'in the day', like."

"Ah think wi shid bi makkin fir Jimmy Chung's noo," said Ronnie, anxious te get some maet inside him te sook up the drink.

"Gweed idea!" said Stevie jist as a stray dug siddenly appeart fae a side street an run in afore the limo. Aathin gid fleein as the driver brakit an Ronnie, fa'd teen aff his seatbelt, fell forrit an landit up spraaled ower Chantelle.

"Oh, Jesus! Sorry, Chantelle." Ronnie teen oot his hunkie an dichtit an dabbit it the spullt champagne on his date's claes. An he wis aye apologisin an pickin the soor cream an chive Pringles oota her cleavage, fin he noticed aat somethin wis amiss.

"Oh! Oh! Oh! Look! Ma chucken fillet!" Chantelle clappit her hans ower her lop-sided chest an pyntit it the great, rubbery lump aat wis sittin quiverin on Ronnie's seat.

"Fit ye deein wi chucken doon yer bra?"

"It's nae! Aat's jist fit they're caaed. Jist get it, wull ye, Ronnie – afore onybody else sees't!"

Ronnie haived his cowboy hat ower the escaped breest an

pickit up the slippery customer. "Oh no!" he shoutit as his fingirs loast their grip an it skytit oota his hans an oot the open winda. "I'm sorry, Chantelle – she's awa!"

Ronnie held his breath as they baith steekit their heids oot the winda an saa the 'chucken fillet' gettin malagruized aneth the wheels o a bendy bus.

"Oh, my God! Ah'm mortified!" Chantelle stuck her han inno her jumpsuit, pullt oot the ither artificial 'extra' an stappit it inno her hanbug as aabody richted theirsels in their seats.

"Jist tak us te Jimmy Chung's," said Ronnie, tryin nae te think aboot the flattened fillet an avoidin lookin it a reed-faced Chantelle.

An aat's fan he saa the bus pass lyin it his feet.

"*Oops!*" Chantelle spottit the pass it the same time an pickit it up afore Ronnie cud get a richt look.

Ronnie squintit it her photie as it disappeart inte her hanbug thinkin, *Wi'oot the wig an the claes, ye'd bi sair made te ken it wis Chantelle – if aat's even her richt name*. He leent back in his seat an winnert fit ither aboot her wis makkie-on – fit wis real an fit wis phony – fit hid bin liftit up, ironed oot an sookit in. He sighed an said t'imsel, *ma dream date's a pensioner an she's faain te bits afore ma een*.

"Ye're lookin affa glum, Ronnie." Chantelle composed hersel, smiled an strokit the back o's han. "Surely ye didna think ma boobs war real?"

"Michty no! Onywye – aat's yer job," said Ronnie, tryin te look casual an sober aa it the same time. "Ye're a faker."

"*Fit* did you say?"

"Oh, no, no… aat soundit like somethin else – aat's nae the wird Ah'm lookin fir. Ah meent…Ah meent ye're a *lookalikie*, ken…aye, aye, aat's it – aat's fit Ah'm tryin te say."

"Aye…aricht…fitivver."

Ronnie fun his hairt plummetin te the soles o his cowboy beets – fit a bloody fiasco ess wis turnin oot te be. Here he wis aff his face wi drink an his 'perfeck wumman' wis sittin ower fae him, wi ae boob on Union Street an the tither in her hanbug wi her bus pass.

"Here wi are, than," said Stevie, lookin relieved as they pullt up roon the corner fae Jimmy Chung's.

"*Oooo*, it's time fir wir gran exit!" scraiched the deluded Dolly Parton wannabe, knockin back the last o the champagne. "Tak a photie, Ronnie – wi'll get ess up on *Facebook* first thing the morn."

Ronnie squintit throwe a drunken fog it the wreck aat wis Chantelle: her blonde wig wis sittin aa squeegee; her mascara hid run an her amazin bosom wis as flat as a bannock. '*Dinna mak only really personal comments...onythin aat micht caause offence...*' Stevie's voice wis ringin in his lugs, '*...if ye're disappyntit or somethin faas short o expecktations, fir God's sake dinna say onythin ...tell her fit she wints te hear.*'

"Foo div Ah look, Ronnie?" speert Chantelle, pullin on his sleeve.

"Aye...aye...aye, ye look great...jist great."

Ronnie lookit it Stevie, fa noddit his encouragement. *Chantelle's a fine enuch quine*, he thocht, giein his best attempt it a smile, *an Ah dinna wint te offend her, bit she's hairdly the package she wis sellin online...an she'd the chik te say aat I didna look onythin like Kenny Rogers. Ah've hid it wi Facebook an aa ess 'virtual' cairry-on. Fae noo on, it's gaun te bi reality or naethin – face te face or nae ava. An Ah s'pose, noo, the rest o the nicht's aa aboot damage limitation.*

"C'mon, than," said Stevie. "Aabody oot!"

Ronnie pit a han ower his een: aa the champagne hid made him dizzy an raivelt an his pal's weel-meanin advice wis bangin aboot in his heid; aathin wis gettin mixed up an he cud feel his self-control slippin awa.

"Ah canna wyte te step oota ess limo like the star I am...folk'll mebbe think Ah'm fir real an ask ma fir ma autograph." Chantelle pattit her ample bum an unfaistened anither button on her jumpsuit. "Ah think Ah shid lut them see a bittie cleavage, eh?"

"Foo ye gaun te munage aat?" said Ronnie, disappyntmint finally owerwhelmin him as his face drappit an he pyntit it Dolly's deflated chest. "*Are ye comin oot erse first?*"

Missus Reed

Ah lift the newspaper cuttin fae atween the pages o a fooshtie-smellin photie album an read the article, brittle an discoloured wi the passage o time. An syne Ah'm back in 1975 – Ah'm eleven year aul again an it's the simmer aat my chum, Pauline, made pals wi Missus Reed.

Fit follaes is a tale o childhood innocence an foo bairns jist tak folk fir fit they are. Ess is Pauline's secret, jist as she telt it to me, aa them years ago…

"Does your mum know you're here, Pauline?"

"Aye." Ah fun ma face reeden as Ah leed. It wis a Sunday aifterneen – lang an borin. Ah'd sneakit oot te play file Mam wis readin the Sunday Post; Dad wis snotterin an sleepin, his belly full efter his denner, his pipe lyin firgotten on his chest.

"Come away in, then," said Missus Reed, smilin.

Ah smiled back, thinkin aat oor new neebour wis really bonnie – like a film star even.

Ah'd got spikkin te Missus Reed fin she wis takkin in her waashin. Ah likit her cause she spoke te ma like Ah wisna little, an she said, if Ah wis passin, Ah cud come in fir a drink an a biscuit – as lang as it wis aricht wi ma mam.

So Ah did ging roon fir ma fly, bit Ah didna tell Mam cause Ah kent it widna bi 'aricht'. Oor new neebour's first name wis Lizzie bit Ah'd heard Dad say aat she shid bi caaed 'Missus Reed' cause ere wis a reed licht abeen her door an she wis nivver short o veesitors. Ah thocht it wis richt enuch aat she hid a lot o veesitors, bit Ah nivver seen a reed licht naewye.

An syne Ah thocht aat Dad hid caaed her aat cause he must've kent reed wis her favourite colour. Ah'd heard him sayin aat she wis 'a gey lady' an spikkin aboot 'ongauns'. Ah hid nae idea fit a 'gey lady' wis or fit 'ongauns' war, bit Ah kent it wis somethin bad – somethin aat meent Ah hid te bide awa fae Missus Reed.

"Would you like some juice, Pauline?" said Missus Reed, disappearin inte the kitchen.

"Yes, please." Ah sut doon on the edge o the settee – it wis black an skytie wi hairy reed cushions aat matched the funcy fireside rug. Inside *oor* hoose wis dark an broon – aa differint kines o dull.

"And a chocolate biscuit?"

"Aye…Ah mean, yes, please." Ah liftit the edge o the scurl on ma knee an lookit in – it wis nippy an aye weet in the middle an nae riddy fir pickin.

"So, what have you been up to, then?"

"Jist playin – in ma hoosie an stuff." Ah pressed the scurl back doon an lookit aroon her livin-room.

"Reed's yer maist favourist colour, isn't it?" Ah speert as Missus Reed cam back wi a glaiss o fizzy cola an a mint Yo-yo.

"Yes, I suppose I do like red," she said, lachin an lookin kindly. "I've never really thought about it."

"Ah kent it wis," Ah said, takkin in her reed hair an her lang, reed nails – Ah cud even see her pintit taenails shinin throwe her stockins. She'd on lipstick an aa – shiny an fine-lookin like straaberry jeely.

"My mam nivver weers lipstick," Ah said. "Ah dinna think Dad likes it. She jist waashes her face, sorts her hair, sticks a hunkie up her sleeve an aat's her riddy."

"Your mum's very lucky," said Missus Reed, lookin a bittie sad.

Ah thocht aat wis a queer thing te say cause even though Missus Reed bade hersel, she hid a lotta things aat my mam didna. Ah pickit the shiny green paper aff ma Yo-yo an teen a bite o the minty chocolate an a sup o the cola. Missus Reed bocht her pieces fae the shop an got the ale larry, an Ah wished my mam wid stairt buyin biscuits wi silver paper an the spairkly juice aat made ye rift.

Ah smiled it Missus Reed, likin aa her fine smells an bonny claes an bricht colours. An syne Ah thocht aboot my mam: *her face wis clean an shiny an she smelled o polish an bakin.* Ah thocht aboot ither wifies aat Ah kent…auler wifies like ma grunnies: *they smelled o pandrops an biscuits….an lookit like they'd hid aa the colour sookit oota them tull they war grey – like an ootside waa.*

"Would you like to try on some lipstick?"

"Yes, please." Ah grippit masel wi excitemint, kennin aat Mam widna like it if she fun oot – she widna like it ava. Ah held ma breath as Ah saa Missus Reed pull open the sideboord draar an tak oot a wee yalla make-up bug.

Ah waatched as she dug aboot in the bug an teen oot a shiny, goldie-coloured tube. She screwed its boddom an a waxy-lookin reed lipstick appeart.

"Come closer," said Missus Reed, leenin forrit in her cheer. "I'll put some on for you."

Ah balanced on the fireplace's crackit tiles, rockin back an fore as Ah stared it masel in the mirror – *Ah lookit differint wi the lipstick on – auler.*

"It's called '*Perfect Red*'." Missus Reed steed up aside ma an pit some o the make-up on hersel.

"See...Ah telt ye...reed *is* yer favourite colour," Ah said, smilin it her in the mirror an thinkin aboot her secret name. "An '*Perfect Red*' must mean you're perfeck an aa."

"Maybe you're right about my favourite colour," said Missus Reed as she raikit in the bug again an teen oot a bonnie bottlie o flooery-smellin perfume. She dabbit it on ma neck an ahin ma lugs an said, "And I'm not bad, Pauline, but I'm a long way from 'perfect'."

"My mam disna weer perfume," Ah said, sniffin it ma wrists.

"I have something else that's red," said Missus Reed, pittin the tap back on the bottle. "Would you like to see?"

"Yes, please." Wi baith sut back doon on the slidy settee. Ah swung ma legs back an fore an tried te drink the fizzy cola wi'oot spylin the lipstick.

Missus Reed raxed ower the back o the settee an cam back up wi a box. "Aren't they lovely?" she said, liftin the lid an takkin oot a pair o shiny reed sheen wi lang, spiky heels. "You can try them on, if you like – they're called Stilettos."

"They're *so* bonnie!" Ah held the Stilettos up te the licht an admired them afore pittin them on.

Missus Reed leuch as Ah clip, cloppit aroon the livin-room – the Stilettos jaggin up an doon.

"Some day, fin Ah'm big," Ah said, "Ah'm gaun te buy sheen

jist like ess." An syne Ah felt a bittie sad cause Ah kent aat day wis a lang wye awa – Ah cudna imagine my mam ivver buyin onythin like the 'Stilettos' lut aleen weerin them. Mam's sheen, apairt fae her Sunday eens, war aa flat lace-ups, waldies an baffies, bit nivver naethin like ess eens aat squeakit fin ye waakit aboot.

"Ah'd better ging hame." Ah lookit it the clock on the muntlepiece an steppit oota the Stilettos. "Mam micht bi lookin fir ma."

"Here!" Missus Reed handit ower the goldie-coloured tube. "There's not much left – you can keep it, if you like."

"*Thunks!*" Ah teen the lipstick an slippit it doon ma sock an oota sicht. Ah cud feel it ere on the wye hame – safe an secret – the bestest present Ah'd ivver gotten.

Bi the eyn o the simmer me an Missus Reed war best pals. Wi telt een anither stuff; wi lookit it books; wi dunced te pop music on the record player; an wi ate a lotta Yo-yos.

An aat's foo fit happent neest wis *so* affa. Mam said Ah hid te bide in ma bedroom bit Ah cud aye see fit wis gaun on fae the winda: bobbies' cars wi blue flashin lichts an skirlin sirens war ootside Missus Reed's hoose an folk war stannin wi their airms faaled, waatchin. An syne the door opened an banged shut. Ah cud hear Dad spikkin in the lobby.

"Missus Reed's deed!" He soundit aa excitit an he wis pechin like he'd bin rinnin. "Een o her veesitors fun her face-doon in the lobby."

'*Missus Reed's deed.*' Ah wintit te lach it the wye the wirds soundit inside ma heid – the queer wye they rhymed. An syne Ah did lach. An Ah didna ken foo Ah wis lachin, cause it wisna even funny – it wis sad. I wis sad. An it felt sair te bi sad an nae bi able te say. Ere wis a big lump in ma throat…bit Missus Reed an me hid bin a secret an Ah cudna tell onybody.

The neest day, it wis aa in the papers an on the radio – folk war caain Missus Reed's hoose 'Kinky Cottage', an the story wis aat she'd bin chokit wi a pair o her ain stockins. It turnt oot aat her real name wis Missus Pope an she wisna fae hereaboots – she wis fae doon Sooth. An Ah winnert far aat wis cause Ah'd nivver bin farrer than Steenhaven.

"Aat's the eyn o aat, than. Wi winna hiv te pit up wi ony mair o her ongauns," said Mam, giein the paper te Dad. "Your Missus Reed'll bi nae miss."

"Aye...gweed riddance! She wis a bad lot, richt enuch," he said, lichtin the fire wi the Daily. "The grate's the best place fir orra dirt like aat – fir orra dirt like her."

Ah felt like greetin, cause she hidna bin Dad's Missus Reed, she'd bin *my* Missus Reed. An she widna bi 'nae miss' like Mam said – *I* wid miss her. Ah felt bad cause Ah kent fit deed meent. 'Deed' meent ye war *nivver* gaun te see some'dy again – aat they war *nivver* comin back.

Ah gid ben te ma room an sut on the edge o the bed an thocht aboot the terrible thing aat'd happent. An syne Ah winnert if Missus Reed wid be in aat hivven place they spoke aboot it Sunday skweel. Ah said a wee prayer aat Jesus wid lut her in – cause she wisna bad...she wis good. An if aa gweed folk gid te hivven than aat's surely far she'd be.

"Ye war my pal, Missus Reed, an Ah likit ye – really likit ye," Ah said, takkin the shiny gold tube oota ma sock, twistin up the lipstick an pittin it on. "An fin I growe up...Ah wint te bi jist like ye."

Susie's Slimmin Secret

"Foo can Ah ging t'a skweel reunion lookin like ess?" Susie steed side-on an studied hersel in the waardrobe mirror. "Ah look like the gale-eyn o a hoose. Aye, aat's fit Ah am – a gale-eyn in a pink goon."

Alec sighed an lay back on the pilla.

"Ah think it's mebbe jist ma age. Aathin's hunkit an Ah'm gettin an 'aul wifie' belly. It's the chynge o life – het flushes, mood swings, a spare tyre an – "

"Ah wis readin aboot the menopause an, ye ken, it's nae aa bad," interruptit Alec. "Appairently, the hairs aat eesed te growe on yer legs an ither places slows doon…giein ye mair time te wirk on yer moustache. Jist think, ye micht eyn up like yer Unty Tibby – she's a mowser like a byre brush."

"Oh, my God! Is aat s'post te bi funny?" Susie inspected her tap lip.

"Ah'm jist funnin wi ye! An Ah canna see nae odds in yer figir," said Alec, leenin oota the bed an pattin her backside. "Ah like a bittie beef on a lassie – somethin te haud on till. An look on the bricht side – if ye ging sweemin, ye'll nivver sink – ye've yer ain built-in ring."

"Keep yer hans te yersel!" Susie fun her chiks growin het. "Ye ken, Ah think Ah'm jist gaun te bi the same as ma mam – she stairtit gettin fat fin she wis my age. She only his te look it a piece an she pits on a pun."

"*Aye*…bit wi baith ken it's nae the 'lookin' aat's the problem, is it?"

"Shaddup!"

"Look…" said Alec patiently. "Ye've *nivver* bin fat. Ye're jist cuddly – weel upholstered. An ye're a lang wye fae bein the size o yer mither." He grinned. "Ah heard the last time she sut in ower the bath the watter in the lavvie rose. Ah heard – "

"Jist quit the jokes, wull ye, an leave my mither oot o't," snappit Susie, giein him a filthy look. "It's aricht fir you – you aet like a horse an ye're jist skin an been."

"Aye, aat's mebbe richt, bit ess gettin auler's nae easy fir us boys either, ye ken. Nooadays, ma lugs are hairier than ma heid. Fit's aat aboot, eh?" An ma teeth are like the Ten Commandments – aa broken."

"Aye, bit still…gravity jist disna affeck men in the same wye as it dis weemin. Ma boobs drap a bittie farrer ilky year." Susie gied a lang, draan-oot sigh. "They're like twa aul rugby socks wi hanfaes o san in the taes."

"Aat cud bi handy fir yer reunion, though – if onybody speers foo ye've bin keepin, jist say ye've hid furnitir disease."

"Eh?"

"Ken….furnitir disease – yer chest's faaen inte yer draars."

"Ha ha, bloody ha!"

"Ye ken, it's a gweed job ye're nae a car – if Ah put ye in Scot-Ads, Ah dinna think Ah'd get muckle fir ye." Alec smirkit. "Ye've a lotta miles on yer clock; yer pintwirk's needin touchin up; yer rear bumper's trailin a bittie; yer airbugs cud dee wi pumpin up….an…an…ye'd nivver pass yer emissions test."

"Aat's it! Ah've hid enuch o ess. I div hae feelins, ye ken."

"Ah ken, Ah ken…" said Alec. "Ah'll tell ye, though…it's nae ayewis the best idea te slim doon it your age – the skin disna snap back the same. It's nae as elastic, like. If ye think aboot it – ye've nivver seen ony wrinkles on a balloon."

"Ha ha! Yer jokes are near as aul as yersel."

"Ah'm jist sayin," addit Alec. "Ken yon wifie aat wirkit ahin the bar it the Legion…weel, her man, Tommy, said aat loasin aa yon wecht wis the warst thing she ivver did – she wis left wi a face like an accordion…an her neck wis aa wallopy an hingin doon like een o yon pelicans."

"Bit it least she'd a nice figir."

"Well, nae really," said Alec wi a grin. "Tommy reckons aat wis the warst o't – fin she strippit, she'd an erse like a sick elephant."

"Aat's typical o a man." Susie faaled her airms ower her belly. "Nae support fir their wives – nae unnerstannin o foo they micht bi feelin."

"Ye've got te learn te luv yersel, Susie. An like Ah telt ye, ye're nae fat, onywye," assured Alec. "OK, it's true te say aat ye've a gweed haud o the grun. Bit Ah'd say ye'd aye a gran figir…" He laid his heid on ae side an lookit her up an doon. "Nae fat, bit yet ye widna blaa ower in the win, either."

"There's nae need te rub it in," said Susie, feelin het tears prickin it her een. "Ah ken Ah'm ower hivvy."

"Jist as lang as ye dinna ging aff yer feet," leuch Alec. "Eence ye ging aff yer feet ere's nae gaun back. Aat'd jist bi the eyn – Ah'd nivver bi fit te lift ye."

"*Oh, Ah'd luv aat* – if ye'd lift ma…cairry me, like." Susie fun hersel stairtin te smile an feel aa dreamy an romuntic it the verra thocht o't. "Like yon bit it the eyn o '*Officer and a Gentleman*' fin he scoops her up in his airms an cairres her oot."

"Cairry ye! Jesus! Even the thocht's enuch te pit ma back oot. The only wye Ah'm gaun te bi fit te cairry you is in yer boxie – wi three ither fowk te gie's a han."

"Ye're nae even funny," sobbit Susie. "Ye're jist naisty."

"Oh, come on! Dinna stairt wi the watterwirks. If it's botherin ye aat muckle, dee somethin aboot it."

"Ah'm gaun till! Ah wis lookin it ess special diet far they deliver aa yer meals te yer hoose. They're aa calorie coontit an low fat."

"An fan are ye plannin te aet them?" Alec smirkit. "Afore yer denner or efter?"

"Ye can lach aa ye like," sniffit Susie, stairtin te feel rale sorry fir hersel, "bit it's jist nae funny. The only thing aat aye fits ma is ma bloody earrings."

"Look…if ye're aat concerned aboot it, Ah'll help ye. Ah'll try an aet healthier as weel – Ah'll stop drinkin…an nae mair Chinese cairry-oots an chippers."

"Aye…great." Susie sighed it the thocht o the impendin deprivation.

"Aat's sattled, than. Ah'm awa te tak the dug te the vet fir his injections. Fin Ah come back, wi'll hae wir denner an syne tak Hairy fir a lang waak up Bennachie – aat'll kick-stairt yer wecht loss afore ye even stairt yer diet. Ye'll hit the grun rinnin."

*

"Foo did Hairy get on it the vet?" speert Susie as Alec cam in wi's faithfu freen it his heel.

"Ye'll nivver believe ess…the impident bugger hid the chik

te say the dug's overwecht. He's te loase a steen."

"Weel, ere's a coincidence." Susie pattit the Labrador's heid. "Ah've jist lookit up ma wecht on a chart an Ah've to come doon a steen an aa."

"Hairy's te aet ess special diet grub an nae extras," said Alec, humphin a muckle bug o dug maet inte the kitchen. "Fin the vet said it wis special, Ah telt him it fifty poun a throw it wid need te bi bloody gold-plated. Atween the twa o ye, Ah'll seen bi bankrupt."

"Ah've decidit nae te ging on aat diet," said Susie, sweelin a lettuce aneth the caal tap. "Fin you said ye'd help ma, Ah jist decidit te cut back on ma ain...it canna bi aat ill te dee."

"So fit's fir denner?" speert Alec, sittin doon it the table.

"Salad."

"Salad! Bit wi ayewis hae a sassage roll or somethin fine it the wik-en – wi *canna* hae salad on a Setterday."

"*You* said ye wid help ma."

"Ah ken...bit salad? It disna full ye – anither oor an ye'll bi lookin fir somethin else." Alec grinned afore addin, "A rift an a rip an ye'll bi hungry again. Ye'll nivver stick it."

*

"*Hauf a pun!*" Susie cudna believe it as she lookit doon it the readin on her new digital scales.

"It's aye hauf a pun," consoled Alec, powkin it his salad fir the second Setterday rinnin.

"Hauf a pun ON!" shoutit Susie, feelin tears o disappyntmint fullin her een. "An Ah've bin aat hungry – Ah feel like a hameless tapewirm." She grippit her belly as it rummilt an grummilt. "Ma stammack thinks ma throat's bin cut – aa Ah can think aboot is gettin somethin te aet."

"Ah'm lookin it you an the dug an Ah canna decide fit face is langest." Alec clappit Hairy, fa wis snuffin it the air, twa great strings o slivvers hingin fae's moo. "C'mon an get a wee tastie, min. Ye've a short life an Ah canna stan te see ye lookin miserable an hungert like aat."

Susie sighed as she waatched Alec scrapin his salad inte Hairy's dish. The dug gied it a snuff an a lick syne paddit awa wi's tail hingin doon.

"By God, it maun bi bad, if Hairy's turnin up his nose at it," said Alec, lookin jist as disgustit as his fower-leggit freen. "Aat dug'll aet onythin aat's nae nailed doon."

"Belt up!" Susie bit her boddom lip an felt like chokin them baith. "Is it ower muckle te expeck a wee bittie o support? Ach, te hell wi the baith o ye! Ah'm gettin oota here."

"Gweed idea!" shoutit Alec. "An dinna come back till ye're in a better bloody humour."

*

Later aat nicht, Susie wis feelin a lot happier wi hersel fin she cam inte the kitchen te see Alec sittin it the table wi a Pot Noodle in his han an a face like a torn scone.

"Weel, weel, Hairy," said Alec, nae lookin up an spikkin te the dug, "the waanderer returns – wi'll mebbe get supper yet."

"Aye aye, sulky briks!" Susie dumped her shoppin bugs on the fleer an a Chinese cairry-oot on the table. "Foo's it goin?"

"Fit's ess?" Alec sniffit the air an Hairy lookit hopefu, his tail thuddin against the kitchen fleer.

"Twa tubs o het an spicy soup, beef curry, sweet an soor chucken, a portion o egg-fried rice, praan crackers an a suppie chips."

"A cairry-oot! Efter aa ye said."

"Weel…Ah kent ess wis ae kinna 'cairry-oot' ye *wid* bi able fir. Ah ken ye'll nivver bi fit te scoop me up in yer airms an cairry ma, bit Ah *hiv* fun a wye o liftin masel in here," said Susie, smilin an tappin her broo.

"Aye…?"

"Ah've bin inte the Toon shoppin. Ah bocht a heap o new claes an syne Ah met a pal an we gid oot fir a fly cup. Ah'd a cappuccino an a great daad o cake wi jam an cream on't."

"So…fit aboot the diet? An fit aboot yer skweel reunion?"

"Ah dinna need te diet onymair. An as fir the reunion…Ah've decidit nae te bother – truth te bi telt, ere's naebody Ah'm really excitin masel aboot seein again. An, onywye, if ye hivna seen some'dy fir near forty year, they're nae gaun te bi muckle o a miss, eh?"

"An Ah thocht buyin new claes jist annoyt ye cause naethin fittit," said Alec, pyntin te the array o plastic bugs on the fleer.

"Ach! Aat's aa ahin ma noo. Ah've fun the secret te success – a wye te mak masel feel jist great – an instant fix."

"Fit's ess secret, than?" speert Alec, unloadin the cairry-oot. "C'mon, spull the beans."

"*Bigger claes*!" Susie grinned. "You war richt, Alec...I wis *nivver* fat – it wis jist aat ma briks war far ower ticht."

Ruthless Behaviour

"Here's trouble." Ah liftit the neuk o the curtain te see ma pal, Ruth, parkin her aul Mini in the drive.

'*Ruth Less,*' the memory o oor teacher's voice rung oot, '*you have no discretion. There's a time and a place for humour – let's just hope that one day you'll know when that is.*'

Despite ma unease, Ah fun masel stairtin te smile as Ah waatched ma pal comin up the path: she *hidna* improved wi age – Ruth wis jist as hallyrackit, an her sinse o humour wis as roch an near the been as ivver.

"Tamara's comin roon an aa," Ah said, lookin on in dismay as Ruth cam in an sut doon it the kitchen table sportin her new *Shit Happens* T-shirt. "She's jist phoned an Ah cudna pit her aff."

"Oh no! Nae 'Tamara the toff'."

"Jist cause she's got differint interests fae you an she's nae comfy wi bad language or orra spik – aat disna mak her a toff."

"It dis sut! She's een o the Alice-band brigade – een o yer 'horsey' pals. She even looks like her horse – great taall, lang face, an muckle gnashers like piana keys." Ruth showed her teeth. "She cud aet strae aff a reef."

"Ere's nae need fir aat!" Ah said, shakkin ma heid. "Tamara'll bi here in a meenit. She's on her road back fae muckin oot Maximus it the stables. She soundit like she needit some company, bit she winna bi expeckin te see you here – so fir God's sake, jist behave yersel."

"*Neigh* bother," nichered Ruth.

"Look…Tamara's bin a bittie aff her eggs," Ah said, tryin te waarn Ruth, in a roonaboots kinna wye, te bi canny wi her feelins. "She hisna bin copin verra weel."

"Ah hope wi're nae gaun te get an aifterneen o watterwirks."

"Listen! Fit she needs is support…an fit she *disna* need is ony o your wisecracks – or yer advice."

"Aricht, aricht…fit's warst wi her, than?"

"Ye ken fine – her man's left her…run aff wi een o her best pals. She's hairtbroken – totally hairtbroken!"

"Yon wee nyaff." Ruth snortit. "Fa wid wint him? He's aat short, he cud weer oot the erse o's briks jist waakin aboot!" She roart an leuch it her ain joke afore addin, "Onyroads, aat wis months ago – she'll need te get a grip o hersel an get ower't."

"It's nae aat easy. Peer Tamara – she jist canna seem te meeve on. Aathin aat onybody says, she'll turn it roon te spik aboot Julian. She says, it'll bi a lang time tull she can trust a male wi twa legs insteid o fower."

"Aye, an ye ken fit they say – a hard man is good to find...or is it the ither wye roon?" Ruth grinned. "*Ach*, she's better aff on her ain – I ken aat fae bitter experience. Wi're aa born wi one arsehole – fa needs anither een?"

"Ruth! Fir the love o God. Aat's exackly the kinna thing Ah'm spikkin aboot. Unless she specifically asks fir yer advice, *please*, jist keep *it* an yer sinse o humour te yersel."

"Aricht! Keep yer wig on. Ah winna offer her ony advice, bit Ah wull try an cheer her up a bittie – mebbe tell her a fyow teeny, weeny jokes. An Ah'll stick te spikkin aboot me insteid o her. Ah'll jist news awa like normal...jist bi masel."

"Aat's fit's wirryin ma," Ah said, jumpin as the doorbell dirled.

"Come awa in! Ye're jist in time fir a fly cup," Ah said as a dejected-lookin Tamara cam in aye weerin her ridin beets an jodhpurs an whuffin o horse muck. "Foo ye deein, than? Are ye feelin ony stronger?"

"Not really." Tamara sut doon it the table an Ah poored us aa a mug o fine-smellin coffee. "I'm still pretty fragile."

"Viennese Whirl?" offert Ruth, spikkin wi her moo full.

"No...no...I couldn't." Tamara's face wis as lang as the day an the morn. Her een fullt as she pushed awa the plate o cakes an biscuits.

"Ah'll hae yours, than." Ruth raxed ower the table an helpit hersel. "Ah canna resist a funcy piece."

"*Neither could my husband...*" Tamara sniffed. "That tart! I hate her."

Naebody spoke an Ah shot Ruth a waarnin look.

"You know, Julian and I had our honeymoon in Vienna," addit Tamara, lookin it the impty Viennese Whirl box an giein a great sigh. "The happiest fortnight of my life...but now he's left me and everyone's speaking about it...laughing at me...saying that Julian got fed up playing second fiddle to a stallion." She dabbit her een wi a hunkie. "And half of what happened's been exaggerated out of all proportion. They're saying things that aren't even true... things that didn't even happen."

"Oh, weel...bit aat's jist Tarves fir ye," said Ruth. "Fit they dinna ken, they'll mak up – the lee'll bi haufwyes roon the place afore the truth's even got its briks on."

"I knew there was something wrong," said Tamara. "Things had gone downhill in the bedroom and, if I'm being honest, some weeks it was so bad we were hardly communicating at all."

"Weel, Ah ken fit aat's like." Ruth noddit. "The last serious relationship I hid jist gid fae bad te warse, like – nae action atween the sheets an wi war doon te spikkin throwe yon Alphabetti Spaghetti an the plastic letters on the fridge."

Ah held ma breath as anither hivvy silence descendit.

"I think Maximus will be the only male in my life for a long time," said Tamara, brakkin the silence. "But I don't want this experience to put me off men forever. I can't imagine being on my own indefinitely."

"Ah hope aat's nae a dig it me." Ruth faaled her airms. "Jist cause Ah hivna hid a lad fir a file, weel, it disna mean Ah've gid wi'oot...*if ye ken fit Ah mean?*"

"Ah'm sure aat's nae fit Tamara meent," Ah said, seein the dangerous look aat hid sattled on Ruth's dial.

"Dinna wirry!" Ruth held up a han. "An, ye'd hiv bin richt enuch, onywye – truth bi telt, ere hisna bin muckle on the menu as file. In fack, it's bin practically a state o famine. If it wisna fir speed bumps, pickpockets an friskin it airports – Ah'd hae nae sex life at aa."

Tamara attempted a wattery smile.

"Aat's better, Ah've got ye smilin again." Ruth waggilt a fingir it Tamara. "An Ah jist aboot hid ye lachin tee, eh, eh?"

Tamara gied a reluctant nod.

"An ye ken, ye're richt nae te gie up hope o finnin a man – if aat's fit ye really wint," Ah said, haudin oot a paper hunkie.

"Michty, aye! Ah cudna agree mair," said Ruth. "Tak my pal, Bunty – she's awa te waak doon the aisle again…an aat'll bi her fourth shottie. Bunty's mair rings than Saturn…she telt ma she's stairtit signin the mairrage certificate in pincil." She gied an ill-trickit smirk. "An ye ken yon draars wi the days o the wik on? Weel…Bunty's jist say, NEXT!"

Tamara lut oot a nervous lach.

"See!" Ruth grinned. "Ah kent Ah cud cheer ye up – it's a nicht oot on the toon wi me ye're needin."

Syne, Ah'm nae sure if it wis the thocht o spennin an evenin wi Ruth or no, bit Tamara's smile slippit an she stairtit te bubble an greet in earnest.

Ah felt like greetin masel as Ah lookit it Tamara wailin intill her sypin hunkie. Ah'd read an article aboot folk like her. It caaed them 'Energy Vampires' – said they sookit aa the joy oota life fir their victims. An it wisna like Ah hidna bin sympathetic – Ah'd listened an listened till Ah wis near dementit wi the hale sorry saga.

"Och, c'mon. Ess is nae eese ava." Ruth teen Tamara bi the shooders an gied her a shak. "Ye jist need te get a grip o yersel. Fit div ye dee fin ye faa aff yer horse?" she addit, nae even wytin fir an unnser. "Ye get back inno the saddle an away ye go."

Ah lookit it Ruth an insteid o giein her ma customary glower, Ah grinned, winkit an gied her a nod o encouragemint. Mebbe a differint approach wis fit wis required – mebbe fit Tamara needit wis a short, sharp shock – Ruth Less style.

"If only I could get over him…if only I could find a way to come to terms with the loss…" Tamara lookit up wi reed-rimmed een. "If you could give me one piece of advice, Ruth…anything…anything at all…what would it be?"

Ma hairt stairtit te race as Ruth teen a deep breath, takkin Tamara's invitation an my silence as the green licht.

"Weel, ma quine – wumman te wumman, like." Ruth leent forrit an teen Tamara's hans in hers. "Ah've hid ma hairt broken a hunner times an it's like they ayewis say – the best wye te get ower a man…is te get in aneth anither een."

On Angel's Wings

"Ess is the bit Ah've bin dreadin – the bit naebody likes," Ah say oot lood as Ah unlock ma mither's door. "Bit Ah s'pose it'll bi doon te me te sort aathin oot – same's ivver."

Ah step ower a pile o junk mail fanned oot on the mat an wanner fae room te room, pushin open door efter door o a hoose aat hid become ower big fir ae wee wifie. Bit it hidna ayewis bin like aat – eence ere'd bin Mam, Dad, masel an oor Jennifer on the wee craftie aside Oyne. Closin ma een, Ah hear again the lachter ringin throwe the place, see Mam an Dad sittin aside the fire, an syne…

Ah open ma een an ging throwe te the parlour, mynin foo Faither hid lookit laid oot in his coffin an, jist last wik, oor ain dear mither. Ah feel a wry smile creep ower ma face: ye hid te bi deed te get ben the hoose – te the gweed room wi the great muckle aspidistra an the polished piana aat naebody played. Ah shiver an see the aul folk lyin ere again: faces pale an waxy-lookin; eelids blue-tinged; moos set in a thin, grim line. Ah look aroon it the hivvy furnitir an the aul-fashioned clock on the muntlepiece aat says, life goes on. Ah smell the bonny wreaths aat hid graced Mam's coffin an see the funeral tay on the table: best bone china; funcies an ham sandwiches, ariddy hardenin an curlin it the edges as if touched bi the han o death itsel.

Ah'll munuge te sort oot maist o Mam's stuff masel, Jennifer. Ah ken ye've wirk te dee. Ma ain wirds full ma heid as Ah look it a photie o me an Jennifer. Wi war differint – wintit differint things fae life. Jennifer hid a man bit she hidna ony kids – I hid fower. Jennifer helpit Mam oot financially efter Dad deet – I cud hairdly keep ma heid abeen watter. Jennifer hid a career – I wis jist a hoosewife an the een aabody turnt till fin they war stuck. Jennifer hid aye bin the favourite an although oor folk nivver gid in muckle fir praise, displayin typical North-east reserve, the pride wis ere fir aa te see. Dad wisna spared te see't, bit Ah can aye myn the expression on Mam's face fin ma wee sister graduated fae the Uni it Aiberdeen an got her first job as a journalist in Edinburgh. Bit I nivver did onythin o note – naethin te blaa aboot – naethin te mak Mam prood o me.

Ah caa tee the parlour door an ging throwe te Mam's bedroom, smilin as Ah rin a han ower the saft silkyness o the patchwirk quilt, admirin the rainbow o colours an aa the differint textures. Ere's aathin fae silk te corduroy – ilky han-stitched squaarie haudin a special memory an a story o its ain – a mixter-maxter o material salvaged fae lang-firgotten pairty frocks an bonny bitties o cloot aat wi'd colleckit ower the years. Ah'd helpit Mam clip oot the shapes an syne stitch them aa thegither fin her een hid growne dim an her fingirs hid bin twistit wi arthritis. Wi'd sutten aside the waarmth o the fire an newsed as wi shewed, enjoyin een anither's company.

Ah smile it the memory afore turnin an liftin the lid on the aul widden kist aat's stannin against the waa. Ah wrinkle ma nose it the fooshty smell as Ah stare doon it its contents: a christenin goon, rowed in tissue paper an yallaed wi time; a roost-speckled tin aat held ony important paperwirk; a bunnle o skweel reports an special occasion cairds; a reed velvet boxie wi bitties o wirthless jewellery; a lace-edged hunkie aat Ah'd made in Domestic Science – adorned wi fadit embroidered bluebells an a reed hairt wi 'Mother' shewed inside it; an photies – dizzens an dizzens o aul black-an-fite an sepia-coloured snaps. Junk te onybody else, bit treasure te Mam.

An syne, Ah see a bauchled box full o leather-bound diaries. *Ah nivver kent mam keepit a diary*, Ah think, liftin oot the tapmaist een an feelin ma hairtbeat quicken – *surely it wisna richt te read some'dy's diary, their innermaist thochts – private stuff.*

Ah nurse the wee black bookie against ma breest, wrestlin fir a meenit wi ma conscience, afore takkin a deep breath an openin't.

A sidden sairness stabs it ma hairt fin Ah see Mam's hanwritin. Ah swalla the lump aat's risin in ma throat as Ah stairt te read: maist o the entries are aboot me; aboot aa the things wi'd deen thegither; aboot aa the help Ah'd gien her; an aboot foo prood she'd bin o ma as a mither an a dother.

Bit fit Ah read neest maks het tears full ma een: Mam said she'd wished aat me an Jennifer war closer; fir ere'd come a day fin wi'd need een anither fir comfort an support. An siddenly, Ah recognise the aul, familiar feelin wellin up inside ma chest. *Jealousy.* I wis jealous o Jennifer, an Ah'd deen aathin Ah cud te keep her it airm's lenth – te keep her oota things. Ah'd nivver acknowledged it afore, lut aleen admitted till't. Ah look up, hauf-expeckin te see Mam stannin ere, as if the revelation hid bin delivered on angel's wings.

Ah'm sobbin noo as Ah look doon it aa Mam's treasures – really greetin. An Ah'm nae even sure if it's wi relief or regret.

Ah dicht ma een wi the wee, embroidered hunkie, ma sobs subsidin as ma fingirs close aroon the mobile phone in ma pooch. Haudin ma breath, Ah find Jennifer's number.

"Hiv ye finished yer article?" Ah speer as she unnsers.

"Och! Ah canna wirk, Barbara." Ere's a shak in her voice. "Ah canna seem te concentrate."

"Come roon te the hoose, than. Ye can gie's a han wi ess packin – see fit ye're wintin te tak back te Edinburgh wi ye."

"Are ye sure?" Jennifer souns a bittie teen aback. "Ah dinna wint te git in yer road."

"Foo cud ye be in ma road?" Ah tak a deep breath. "Ye're ma sister."

"It's jist aat…Ah dinna really feel it's my place ony mair." She sniffs. "You…you war ayewis Mam's favourite, an…an Ah s'pose Ah've jist realised aat Ah've aye bin jealous o ye – jealous o foo close ye war – aat's foo Ah've jist left ye till't."

Ah open ma moo te spik an a queer kinna soun comes oot – hauf-lachin, hauf-greetin.

"Fit's the maitter, Barbara?"

"Ah'll tell ye later," Ah say. "Ah think you an me's a bit o sortin oot te dee – an Ah'm nae jist meanin Mam's things. Ah think it's time wi stairtit really spikkin insteid o jist imaginin fit een anither's thinkin."

Ah smile an close Mam's diary. An syne, Ah canna help bit winner te masel: *Foo weel div wi really ken onybody? An, mair importantly, foo weel div ony o's ivver really ken wirsels?*

Mower Madness

"Och, c'mon! Dinna dee ess te ma!" Harry liftit his fit an kickit the mower as it choochert till a halt, the smell o petrol fullin the air.

"Fit noo?" sighed Evie, comin oot te see fit aa the commotion wis.

"Ess bloody thing – aat's fit!" Harry glowered doon it the eeseless lump o machinery.

"Weel, ye'll jist need te ging oot an buy yersel anither een."

"Ah ariddy *hiv* anither mower – it's in Frank Middler's shed."

"God Almichty! Ah canna believe ye're aye on aboot aat – ye jist canna lut a thing go, can ye? Jist ging oot an buy yersel anither een – it's nae like ye're on the beens o yer erse. Bit, *na,* ye're aat grippy. Fin it comes te siller, ye've nae scruples – ye'd sell yer grunnie – ye'd dee or say absolutely *onythin* te save yersel a shillin. It's like a kinna madness comes ower ye."

"Ah'm nae grippy!"

"'Nae grippy'! Far wid Ah stairt? Ye're aat miserable, ye cud peel an orange in yer pooch; fin ye tak a fiver oota yer wallet, the Queen blinks; ye're as ticht-fisted, ye widna gie some'dy the stem aff yer – "

"*Ah jist wint fit's mine,*" intteruptit Harry, finnin his birse risin.

"Weel…dee somethin aboot it or jist belt up!"

"Nae chunce! Ah'm nae beggin te get ma ain stuff back."

"Please yersel." Evie shruggit her shooders an syne addit, "Ye ken fine Frank's stairtin te get a bittie forgettle an aat he's nae sae able nooadays. In fack, last time Ah bumpit inte Mary, she said they'd a mannie comes roon te dee the gairden noo."

"*Aye.*" Harry scowled. "Wi *my* bloody mower!"

"Some freen you are – nae an unce o sympathy – it's aye aa aboot *you, you, you.* Ah sometimes think ye dinna hae a hairt – it's like ye jist dinna gie a damn aboot onybody bit yersel."

"Ah div!"

"Ye ken, Ah read an article aboot folk like you – folk wi a lack o fit they caa 'emotional intelligence'. Appairently, they're incapable o tunin inte ither folk's feelins an jist dinna ken foo te act in sensitive situations."

"Claptrap! Ah'm jist nae affa gweed aat sympathy an Ah hate it fin folk are nae weel…it's so ackward…ye nivver ken fit's the richt thing te say."

"Fan's the last time ye even bothered yersel te ging roon an see Frank?"

"Eh…eh…Ah s'pose it's a couple o month back," said Harry, finnin his face an neck growin het as he siddenly mynd aboot the reason fir his veesit. "Fin Ah teen a len o his shovel."

"*Weel, by God!*" Evie leuch. "Ye canna ask fir the mower back tull ye gie Frank his shovel – aat widna bi richt."

"Weel, if some'dy else is deein his gairden, he'll likely hae aa his ain tools – Frank winna bi needin his shovel onymair, wull he?"

"Aat's nae the pynt – you hiv ae rule fir yersel an anither fir ither folk – it disna wirk like aat. You're jist as bad as Frank – hingin onte somethin aat's nae yours."

"He said it wis his spare shovel."

"An it wis *your* spare mower – so fit's the odds?" Evie threw her hans in the air. "If ye wint my advice, ye'll jist lut it go an get yersel doon te B&Q fir anither een."

"Aye, bit 'luttin it go' winna get ma mower back, wull't?"

"Och, dee fit the hell ye like." Evie sighed. "It'll bi aa aat's in yer heid noo – ye'll bi like a bloody dug wi a been."

*

"Dinna tell me they've got veesitors," muttert Harry fin he saa aa the cars parkit ootside Frank's. He steed on the tap step fir a meenitie, winnerin if comin roon hid bin a bad idea. An he wis switherin aboot chappin on the door fin Frank's missus, Mary, lookit roon the neuk o the curtins an spottit him.

"Frank in?" Harry lookit by Mary an doon the lobby as she opened the front door. "Ah'm roon wi his shovel – didna realise Ah'd hid it so lang. It's amazin foo ye can tak a len o a thing an syne firget te gie't back – can clean slip yer myn, like. A bodie wid nivver like te hing onte a thing aat wisna theirs…nae intentionally, onwye, eh?"

"I'm sorry," said Mary, lookin a bittie sair made, "bit Frank's awa."

"Awa?"

"Upstairs." Mary pyntit a fingir in the air.

"Ah'll jist wyte, than." Harry hottered aboot on the step.

"Fin Ah say he's 'awa', Ah mean he's *passed awa...*" said Mary. "He wis wirkin in the gairden yisterday fin he jist drappit doon. Ah kent he wisna able, bit he jist cudna wyte fir the lad aat normally dis't te turn up...he wis aat determined." She sighed. "Bit it least Ah wis wi him it the eyn, like."

"Oh! Michty! Bit aat's an affa stamagaster te gie a bodie – Ah wis nivver expeckin aat – peer Frank." Harry's myn wis in a spin as he leent on the shovel, feelin affrontit, sirprisinly sorry, an michtily disappyntit, aa it the same time.

"Ah ken, Ah ken," said Mary. "Wi jist canna tak it in. Life's short...ye jist nivver ken the day."

"Tye, tye... ye're nivver sure, eh?" Harry chaaed on his boddom lip an kickit it the step as he struggilt fir fit te say neest. "At'll bi a comfort till ye, though – te hae bin wi him it the eyn, like. Did he...did he munage ony last wirds?"

"Weel, aye, he did... he did say somethin..."

Harry teen a deep breath as he studied his sheen, held oot the shovel an said, "*It wisna onythin aboot a mower, wis't?*"

Roy's Retirement

"Ah'm fed up!" Roy lookit up it the clock. "It's only haufwyes throwe the foreneen an Ah'm ariddy thinkin aboot ma denner."

"G'awa! Ere's plinty te dee if ye'd like te find it," said Dot, layin doon her wyvin.

"Ah've waatched *Jeremy Kyle* an *Cash in the Attic*…an noo, Ah'm jist shovin in time till the aifterneen film."

"Weel, get aff yer erse an dee somethin. Ah'm *ayewis* busy – can ayewis find somethin te occupy ma time."

"It's jist sic a lang day." Roy sighed an leent back in his cheer. "See fin Ah wis wirkin, Ah wis nivver riddy te rise an, noo, Ah'm up raikin aboot hauf the nicht an gettin up it the back o sax."

"Ah dinna ken foo ye can bi scunnert ariddy?" said Dot, shakkin her heid. "Wi're baith retired noo an ess is wir chunce te please wirsels an spen some quaality time thegither. Wi can dee aa the things wi've ayewis wintit till. Ess is the perfeck opportunity te try new hobbies – mak new freens…"

"Bit Ah dinna *ken* fit Ah wint te dee." Roy fun a big, black clood appearin abeen his heid. "An as fir makkin new freens – weel, ye ken Ah'm a quait kinna lad. Ah'm nae really inte socializing…nae like you – you've heaps o pals."

"You hiv te be a freen te hae freens, Roy. Ye've te mak convirsation wi folk – it's aa aboot effirt."

"Ye ken Ah'm nae inte stairtin up in-depth convirsations wi *onybody*."

"Ye're nae kiddin! It's like gettin bleed fae a steen – folk maun think ye're a richt dour divvel. Ye've ayewis bin a bit o a loner – aye likit yer ain company."

"Mebbe…" Roy shruggit his shooders. "Ye canna chynge yer personality – ye jist are fit ye are. Bit Ah s'pose, Ah've bin lucky in haein you fir a wife, eh? You've aye newsed enuch fir the baith o's."

"Fit d'ye mean bi aat?"

"Oh, c'mon! Ah've a job te brak in ava sometimes – it's

easier jist te listen than te interrupt. You cud spik fir Scotland, Dot – ye've a tongue aat cud whisk an egg."

"So *you* say!"

"It's nae jist me." Roy grinned. "The last time wi hid the Holy Wullies roon the door, ye spoke te them as lang, they'd te mak an excuse te get awa fae *you*."

"Wi cud stairt gaun te somethin...dee stuff...see stuff," said Dot, ignorin him. "Wi cud ging te the boolin or buy a National Trust membership...or wi cud mebbe gie the baallroom duncin anither whirl."

"Nae chunce! Ilky time wi gid te the duncin, yon muckle, fat Mabel fae the butcher's keepit askin ma up. Ah canna bi deein wi her." Roy wrinkled his nose. "She's aye a stink o raa beef an sassages hingin aboot her – nae winner she canna get hersel a man."

"Aat's jist yer imagination wirkin overtime." Dot glowered. "Mabel's nice – she's bubbly."

"'Bubbly'!" Roy snortit. "Aat's jist anither wird fir fat. The chiks o her erse are in different postcodes – waltzin wi Mabel wis like tryin te meeve a piana."

"Oh, Roy! Gie yersel a shak, wull ye! Ye're stairtin te try my patience wi yer girnin on aboot aathin an aabody."

"Ah've jist got far ower muckle time on ma hans." Roy sighed. "An Ah dinna like it!"

"Bit ye war lookin forrit te retirin – ye said so yersel."

"Aye...Ah wis – bit ess is aa jist ower muckle te cope wi. Ah feel like Ah've nae motivation – like the boddom's drappit oota ma pail."

"*Aye*...?" Dot's eebroos liftit an she lookit concerned.

"Aye..." repeatit Roy, shiftin in his seat. "Ilky day's the same as the last – ere's nae relief fae't...it's jist like ae lang, tiresome holiday. Ah s'pose it wis aricht fir the first sax wiks – a bit o a novelty bit, lut's face it, eence ye've tidied oot yer garage an yer laft, life seems rale pyntless. Ere's nae focus...nae direction."

"Ye're jist bein daft, Roy – ye've plinty te look forrit till. An fit aboot me?" jokit Dot. "Fit am *I* gettin oota you retirin? It's twice the man an hauf the money."

"Exackly! An siller's anither thing te think aboot. Fit've wi got te look forrit till on a pension – anither twinty year o Tesco Value beans an scratty lavvie roll?"

"Oh, Roy…" Dot lookit even mair anxious. "Ah didna ken ye wis feelin as bad as aat."

"Weel, Ah am!" Roy lookit awa: he hatit bein cornered an forced inte showin his feelins – even te Dot. "An ye ken fit they say aboot men, divn't ye? Eence they stop wirkin they jist ging doonhill…an the neest thing ye ken they're deed."

"Ach, tak nae heed o aat – aat's jist a thing folk say. Ye deserve a rest, Roy – wi baith div. Ye've wirkit solid since ivver Ah kent ye – hairdly a day aff."

"Aye…Ah ken, bit fin Ah jist stop an think aboot it, Ah've nivver hid a job Ah really likit – Ah've jist suffert them."

"Weel…naebody ivver said ye'd te *enjoy* yer wirk – Ah s'pose it's jist a bonus if ye div."

"Tak ma last five year on aat Customer Service desk," said Roy, sighin it te verra thocht o't. "Aat wid've bin tolerable, if it hidna bin fir the bloody customers. Aa aat greetin an girnin – *yak, yak, yak, yak.*" He gied a wry grin. "Aye…my dream job wid bi een far ye didna hae te spik te onybody an ye jist got peace te get on wi't."

"Ah dinna ken fit yer problem is," said Dot, sounin exasperatit. "Ye'd think ye'd bi pleased te slow doon – te suit yersel – te get the chunce te bi yer ain boss."

"Huh! If ye ask me, Ah've jist swappit ae boss fir anither."

"Fit d'ye mean bi aat?"

"You! It's your wye or nae wye. Jist cause ye've ayewis deen things a certain road, disna mean te say aat's the wye it *his* te be."

"Weel, thunks verra much!" Dot lookit offendit. "Ah admit Ah've ma standards an ma routine, an Ah'm nae gaun te apologise fir aat."

"An it's nae jist aat ye're ower pernickety – ye've lined up the affest list o decoratin jobs tee. If the boredom disna kill ma, it'll bi 'death bi decoratin'. Ah'll mebbe manuge te fit them aa in, though…somewye atween 'naethin te dee' an 'wytin fir the grim reaper te appear'."

"Och, cheer up, fir God's sake! It's nae like Ah'm nae gaun te gie ye a han – Ah'm a demon wi the pint brush," said Dot enthusiastically. "It's gaun te bi fun – bein able te dee aathin thegither."

Roy gaithert his broos an didna unnser: Dot an him hid aye gotten on weel bit spennin aa day, ivvery day wi her wisna foo he'd imagined it; he hatit te admit it, even till himsel, bit she wis really deein his heid in. They war spullin ower inte een anither's territory an absolutely aathin wis gettin on his wick: the slow, methodical wye she pit the messages on the check-oot belt it Tesco; her obsessive tidiness aroon the hoose; her nivver-eynin bletherin on aboot aathin an onythin an folk he didna even ken; the constant breathin…in…an oot.

"Tak a lookie it the *Situations Vacant* in the paper, than," said Dot, her voice brakkin inte's thochts an makkin a het flush o guilty conscience waash ower his dial. "If aat's fit ye really wint – get yersel a wee jobbie."

"Weel, it's funny ye shid say aat," said Roy, pickin it a lowse threed on his jersey an tryin te look casual, "bit Ah've ariddy lookit. In fack…Ah've an interview lined-up fir the morn's aifterneen."

"Fir fit?"

"Ah dinna wint te say," said Roy, stairtin te feel excitit an a bittie nervous it the thocht o his interview. "It's bad luck te spik aboot a thing afore ye're sure – Ah dinna wint te jinx ma chunces, like."

*

"Weel, is ere ony supper fir a wirkin man, than?" said Roy, puffin oot his chest as Dot met him it the front door.

"*So ye got it?*"

"Ah did! They gied it te ma richt there an then – nae probs. Ah'd a trial run the day an Ah passed wi fleein colours."

"Fit kinna job is't?"

"It's a drivin job. They said Ah'm jist fit they've bin lookin fir: smairt an mainnerable. An it's nae full time – Ah'll bi job sharin wi anither lad."

"Weel, aat's jist great!" said Dot. "Really great."

Roy smiled an cudna help noticin the mixter o emotions aat

flashed ower Dot's face: she lookit pleased an relieved aa it the same time.

"Ach, ye ken, you gaun back te wirk pairt-time is mebbe the best thing…" she said, "…fir baith o's."

"Aye." Roy noddit. "An it's nae like ma last job – Ah'm nae gaun te hae te listen te aa yon greetin-faced customers."

"Weel, mebbe ye war richt an ye *hiv* mair te offer the warld o employment…an mebbe retirement's nae fir aabody, eh? Ah'm pleased fir ye – Ah really am." Dot pattit the back o his han. "Onybody wid bi lucky te get ye."

"Aye," agreet Roy. "Deed lucky. It's the kinna job aat's gaun te mak ma glaid te bi alive. Ah'll bi keepin the kinna company aat'll gie ma back ma zest fir livin, an mak ma feel happy te get up in the mornin."

"Aat's amazin te hear ye spikkin like aat," said Dot, lookin delighted. "An it's great aat ye've finally fun a jobbie aat's really gaun te suit ye."

"Aye…it's perfeck – jist made fir ma," said Roy. "Ah hurled a boy aa the wye fae the Toon te Turra an neen o's said a wird."

"Aat's a bittie unusual, in't it?"

"Nae really…" said Roy, finnin a big grin spreadin ower his face. "Nae fin ye're drivin a hearse."

Sellin Hillies

**Winner of the Buchan Heritage Festival 2009
Senior Doric Writing Category**

"Oh, Alice..." Jack sighed. "Sellin Hillies feels like the eyn o the warld...like Ah'm giein up aathin; aathin Ah've ivver wirked fir; ivvery dream Ah've ivver hid."

"*Jack.*" Alice streetched ower the kitchen table an grippit his hans. "It'll seen bi deen an dustit."

"Deen an dustit," repeatit Jack, starin doon it the slender fingirs, fite an frail-lookin against his. "Ah can say Ah'm deen wi the past, Alice, bit Ah dinna think the past wull ivver be deen wi me. Ere's ayewis bin a Mackie it Hillies. My great, great granfaither broke in ess grun wi the sweat o his broo...an te see it jist aa get skittered te the fower wins...weel, Ah'm jist glaid Faither's nae here te see ess day an ma peer mither's ower far gone te ken."

"Weel, bit fit can ye dee wi the bunker on yer back," said Alice patiently, "an three quines wi nae interest in fairmin or the life aat comes wi it."

Jack noddit, acceptin the truth o her wirds, an let his gaze wanner aroon the kitchen afore openin the diary on the table, his een sattlin on the reed-ringed date glowerin oot it him: **Wednesday, 10th October 1973.** He pickit up his pen an began te write.

Dear Diary,
I've kept this daily journal for as long as I can remember. I write down everything that happens, around Hillies and in my life. I've never missed a day, but this will be the hardest entry yet...

"Ah'm awa te hae a bit step roon the place afore the unctioneer gets here," said Jack, pittin doon his pen.

"Ah'll come wi ye," offered Alice, sounin concerned.

"*No!*" He heard his ain voice, sharp an unfamiliar like, an saa the hurt look aat flickered in Alice's een. "Ah jist wint a meenitie te masel," he said, forcin a smile an scrapin back his cheer against the flag-steen fleer.

Jack steed an waarmed his hans ower the aul Raeburn afore ruggin on his jaicket an lookin roon the kitchen: familiar things seemt siddenly strange – like he wis seein them fir the first time. He gid throwe inte the scullery, passin the larder an the milk hoose an wannerin oot throwe the open door and inte the close.

He leent up against the dyke, dug his hans deep inte's pooches an sighed...an siddenly she wis there – his ain sweet teenage bride turnt middle-aged, her black hair threedit wi silver. He turnt in the sweet circle o her airms an felt his chin tremble an his een full wi unexpeckit tears.

"Dinna push ma oot," said Alice. "Sellin Hillies is sair fir me tee, ye ken. Ah've luved ess place nearly as lang as you. On ye go!" She smiled an noddit. "Ging fir yer waak, Jack. Aathin's riddy fir the roup an ere's plinty o time. It'll aa bi here fin ye get back...an sae wull I."

Jack waatched as Alice disappeart inside the hoose, turnin an smilin as she shut the door. His hairt ached wi a luv aat hid nivver lessened wi the passin o the years.

Jack lookit aroon the close syne closed his een. A pictir played inside his heid: his mither appeart stannin ower the aul widden waash tub, scrubbin it collars an cuffs wi a cake o fine-smellin Fairy soap an singin...ayewis singin. In his mind, he meeved te stan aside her, feelin the heat fae the sin on his face an seein its rays glintin aff the waashboord as she steed, up t'er elbas in the het, soapy watter. He saa her tiny figir encased in a flooery cross-ower overall, happin a body aat wis stronger than it lookit. Stoppin te dicht the sweat fae her broo, she caaed the claes throwe the mungle an syne lookit up, smilin an liftin a han in greetin as the aul pipe-smokin pack-mannie cam wannerin in aboot, layin oot his selection o pan-scrubbers, soap, pegs, baccy an ither hoosehold goods.

An syne, in his mind's ee, he follaed the image o's mither inte the hoose an aa aroon the place. He saa her cookin an bakin: porridge, stovies, hen-broth, clootie-dumplin, bannocks, breid an scones; he saa her makkin butter and cheese, colleckin eggs an thraain a hen's neck, the smell o sung hair fullin the air as she cleaned it fir the denner table; he saa her teem the pail fae the ootside lavvie an smelt the open midden as she passed it on her wye te the byre. He follaed her inside, the sharp stink o sharn an strang an the breath o the pink-nosed beasts fullin his nose as she sut on the steel te milk Betsy the coo, the frothy milk squirt, squirtin inte a pail.

An sic wis the power o's imagination aat he cud see his ain dear mither like she wis real; smell the sweet scent o her; hear her song. Bit fin he opened his een an reached oot te touch her, she wis gone...an the memory wis as far awa noo aat a lump rose in his throat an sadness sut in his chest like a steen. He lookit aroon an sighed, mynin the convirsation they'd hid efter his faither's funeral.

*

"Ye're jist like yer faither – you an aat imagination – ower muckle thinkin fir yer ain gweed. He funcied himsel as a bit o a writer, ye ken. Imagine aat!" she'd teased. "Fechs! Sic a high-fullootin notion fir a chiel aat wirked the lan." An syne she'd tittit an addit, "He loast the heid fin Ah termintit him aboot his writin an threw aa his poems an stories in the back o the fire. Bit, ach!" She sniffit an gied a dismissive wave o her han. "Fit gweed's an imagination fin ere's wirk te bi deen?"

Jack's broo furraed as he tried te myn: he'd bin an only child bit yet he hidna kent that aboot his faither – that he'd wintit te be a writer. Bit he did myn aboot his luv fir wirds – the wye he cud tell stories an describe the lan an the birds an the beasties aroon him...the wye he wis kinna differint...'deep' his mither hid caaed it.

Jack smiled as he thocht aboot his ain diary. Mebbe he'd mair in common wi's faither than he thocht – fir it held aa his private thochts an dreams an he spent ages lookin fir jist the richt wird te describe the things he felt an saa.

An syne he mynd aboot the day he'd fun his faither sittin in the byre wi's heid in his hans an the queer thing he'd said – the thing he'd nivver forgotten. "Ah luv Hillies, Jack, bit Ah sometimes feel like Ah'm livin ma life in chines. An the warst o't is...Ah'm the een aat's haudin the key. Bit chynge is a scary thing: pairt o ye wints it...wints it wi aa yer hairt...an the ither pairt jist wints aathin te bide the same...kens ye've got nae option. An fit can ye dee, eh? Fit can ye dee, fin yer dreams are as far awa aat ye canna touch them...an ye jist gie up...gie up on chasin rainbows."

*

Jack blinkit awa the memory, his faither's wirds echoin in his heid as he waakit roon the place, takkin in aathin as he gid: the aul ingine-hoose an barn, the byre, the neep-shed, the stable an the impty bothie aat hid rung wi aathin fae lachter an music te tears – a bare shelter te mony a singil man an hame-sick fee't laddie.

Jack climmed te the tap park wi'oot stoppin an steed pechin wi's hans on his hips, lookin doon ower Hillies' lan. The Garioch grun spraaled oot aroon him fir as far as he cud see: a patchwirk quilt o green, gold an broon rollin oot afore a blue Bennachie. He lookit it the electricity pylons aat cut across the countryside an smiled te think foo he'd hated the grey giants bit, noo, he nivver noticed them. An even the birds aat eesed te reest in the aul Craa Widdie thocht naethin o reestin on their great metal airms.

An as he steed, he saa himsel an the ghosts o his forefaithers wirkin silently in Hillies' parks – shaddas o the past an present – interwoven threeds; a meevin tapestry o ilky chynge aat hid come te pass – scenes an seasons aa steered thegither, tellin the story o the lan. He felt the win on his face an heard the lonesome cry o a peesie as he saa the menfolk plooin the grun wi the Clydesdales – guidin the great beasts wi a 'whoah!' an a 'hi!' an a 'wish!'; an syne he saa the Little Grey Fergie an the giant tractor pullin a shiny ploo aat gid slicin throwe the curlin grun wi ease; he saa his faither an himsel hyowin neeps, liftin tatties an saain seed bi han an then bi machine; an he smiled it the sicht o the nowt aat hid bin holed up aa winter, lutten oot te the spring girse, danderin daft an fair feel wi the freedom o't.

An syne he felt the heat o the sin on his face as he turnt an saa his mither waashin blunkets, trumpin barfit in a zinc bath in the park it the side o the hoose; he saa the ripplin waves o ripened corn bein cut an gaithert wi sickle, scythe, reaper, binder an the big yalla combine aat did the wirk o mony men; he saa the raas o biggit stooks, rucks an bales glintin in the reed-het glare o a hairstin park, an the tinkies sittin ootside their tents on the edge o the Craa Widdie, their day's wirk deen, singin and tellin stories an drinkin tay roon a cracklin camp-fire. The sicht o the Craa Widdie gart him smile: he'd played there, deen his coortin there an later fun a secret spot te sit. His Contemplation Steen. A place fir peace an quait an room te think.

An fin he turnt his heid again, he cud see the glorious sicht o the traivellin Stem-Mull an mynd the anticipation an excitemint o the day o the thrash: the soun, the stew an the steer as the neebours cam te len a helpin han. He saa the men feedin sheaves inte the mull, the bairns cairryin watter, an syne the weemin folk comin trumpin up fae the fairmhoose wi their muckle taypots an baskets full o hame-bakin; an fin the wirk finally stoppit, the soun o machinery wis replaced bi lachter, claik an the termintin o some peer fee't loon aboot fit kitchie-deem he wis coortin.

The swirlin myriad o mind-pictirs dissolved an faded awa an he felt the caal win blaa throwe him an saa the dykes full wi snaa. An fin he blinkit an rubbit his een it wis aa gone...

Jack pushed up his sleeve, lookit it his watch an sighed. It wis near ten o'clock – roup time. He shielded his een wi his han as he cam stridin back doon the brae te Hillies' fairmhoose, seein the slow treetle o folk comin in aboot – some on fit an some wi motirs, pullin trailers an cairts te tak their purchases awa.

He wannert aroon the girse park aside the hoose, weavin his wye atween the numbered lots an noddin it the Mart men, freens an neebours, an them aat hid jist cam fir ill-fashence. The park wis full o aathin his faimly hid ivver aint: the combine, the Little Grey Fergie, the baler, ploos, hen-hooses, brooders an runs, firewid, cairts, posts an palin wire, barras, bikes, saaws... He smiled te think foo some o the lots war even considert collectors' items noo: singil-furra ploos, the aul binder an reaper, vintage han-tools an implement-seats.

Jack made his wye back up te the hoose, passin the rickety railway cairrages aat hid served as hen-hooses an childhood *hoosies* fir the bairns. He meeved amang the folk aat war steerin aroon the close an steadin, listenin te the unctioneer rattlin throwe the lots. Aathin wis fir sale: the ingine, thresher an bruiser fae the barn; sheep, nowt, pigs, hens, deuks, turkeys; an aa kines o tools an odds an sods – graips, rakes, forks, tattie-sculls, boxes o staples an nails. Maist o the bigger bits o furnitir war here an aa: beds, waardrobes, chests o draars, tables, cheers, the piana an his mither's kitchen dresser aat hid held aa her best dishes. His gaze meeved ower the ither stuff fae the hoose: the churn, the chessel an sye; an boxes an boxes o aathin ye cud ivver think o – dishes, pans, jars, bowels, beddin, cutlery, curtins an even the aul china dirler aat he eesed te keep aneth the bed.

Jack leent up against the byre waa an smiled, thinkin aat Hillies wis fairly sellin aathin – fae the combine te the chuntie.

"*Mr Mackie.*" A wifie held oot a bit faaled up paper. "Ah fun ess aneth a draar in yer dresser."

Jack smiled his thunks, waatchin as the wifie an her man manoeuvred his mither's pride an joy inno the back o a cairt.

His fingirs closed aroon the sheet o paper, tarnished an brittle wi time. An syne his hairt wis in his moo as he opened it an saa his faither's name an familiar han. He teen a deep breath as he read fae the page:

Princie and Jock
– by William Mackie

Ah myn ma twa black Clydesdales,
Aat Ah proodly eesed te yoke –
The aul horse wi caaed Princie,
An the young beast's name wis Jock.

Ah can myn the raas o biggit stooks,
An the grun aneth ma feet –
Saa ilky season chyngin,
As Ah chaaved in caal an heat.

Bit noo the horses' wirk is deen,
An things are nae the same;
Fir a tractor's cam te Hillies –
Till the place aat I caa hame.

Noo ere's nae mair Jock an Princie,
An chynge is aa aroon;
Bit Ah'll ne'er firget ma wirkin pair,
Aat vrocht on Hillies' toon.

Jack felt his hairt racin in his chest an he kent he hid te get awa. Takkin till his heels, he ran fae the place an didna stop tull he cam te the Craa Widdie. He collapsed against his Contemplation Steen an held his heid in his hans an grat – great heavin sobs aat cam fae somewye deep inside – greetin fir himsel an fir a faither he'd nivver really kent; fir a man fa'd brocht him up an wirkit bi his side – a slave te ilky season, chaavin te wring a livin fae the lan it Hillies.

He faaled the poem an held it ticht against his chest, feelin siddenly closer till his faither than he'd ivver deen in life. His faither's dreams hid bin dismissed as some daft notion, an he cudna help bit winner fit ess quait an unassumin chiel micht've bin wi an education – mebbe a writer like he'd dreamt o in aa his wild imaginins.

Jack winnert fit else he didna ken aboot him. An syne he began to think aboot his ain dreams – fit did he wint te dee wi the rest o's life? Ere wis differint kines o chynge: the canny kine aat comes wi progress; the kine aat's forced upon ye, sidden like; an the kine far ye jist decide te waak anither path. He kent, noo, aat the differince atween him an his faither wis aat he hid options; an although it'd bin a gweed life, fairmin hidna really bin a choice, it hid jist bin expeckit. An mebbe...jist mebbe...it wisna ower late te chynge direction, learn new things...chase a fyow rainbows o his ain.

He lookit aroon, mynin aboot aa the things his imagination hid shown him as he'd steed ower Hillies' grun. An he siddenly unnersteed aat chynge wis inevitable an often fir the better – ilky clood hid a silver linin an ilky generation looks back on the past te get their direction fir the future. An jist as the birds aat eesed te reest in the aul Craa Widdie noo reestit on the pylons, they wid adjust tee...an survive. Bit he kent, noo, aat chynge didna hiv te mean firgettin...ere's naebody can tak yer memories awa an Hillies, his folk, an their folk afore them wid live in his hairt firivver.

An syne an unexpeckit feelin o optimism rose inside Jack as he pushed the poem inte's inside pooch an made his wye back doon te the hoose. The last o the folk war weerin awa wi aa his warldly goods an, although the roup hid bin forced upon him, it wis a queer thing...he felt free an unfettered...mebbe even fir the first time in his life.

"There ye are," said Alice, lookin concerned as he cam in an sut doon it the kitchen table. "Ah've bin wirret aboot ye."

"Weel, ere's nae need," said Jack, smilin an takkin a deep breath as he reached fir his diary, drew a line aneth his entry, syne addit the wirds: *To be continued.* "Oor life's nae feenished, Alice," he said, slippin an airm aroon her waist an haalin her ontill his knee. "It's jist chyngin. An sellin Hillies *isna* the eyn o the warld...it's jist the stairt o somethin new."